U0359186

VICTORY

DYNAMIC COMMERCIAL SPACE
The total solution expert

活态商务空间
整体方案解决专家

活态空间 愉悦办公
Dynamic space　Enjoy smart work

百利提供:屏风工作站系统·板式桌组系统·实木桌组系统·高隔间系统·商务座椅系统·商务沙发系统·商务钢柜系统解决方案

VICTORY
百利集团(中国)有限公司
VICTORY OFFICE SYSTEM HOLDING (CHINA) LIMITED

百利集团工业园
地址：广州市从化市太平镇经济开发区福从路19号
总机：020-37922888　传真：020-37922001　邮编：510990

Victory Group's Industrial Park
Add: No. 19, Fucong Road, Economic Development Zone,
Taiping Town, Conghua City, Guangzhou
TEL: 0086-20-37922888　FAX: 0086-20-37922001
Post code: 510990

marmocer®

米 洛 西 · 石 砖

石砖开创者，再定义豪宅

❦───── 米洛西石砖，石砖豪宅空间整体解决服务商 ─────❧

作为石砖行业的开创者，MARMOCER米洛西，以品牌创变石界
以设计再定义顶级天然大理石，以设计再定义豪宅空间，以空间再定义生活方式
米洛西全新概念的豪宅生活方式
「跨界设计+石砖创意原素+应用魔术+豪宅生活」
以再定义的维度，解读豪宅空间、生活方式与装饰材质

MARMOCER米洛西，石界奢侈品，为豪宅而生。

米洛西石砖有限公司 ｜ 全国服务热线：**400-678-0810** ｜ WWW.MARMOCER.COM

[GREEN]³

| Gp (Green produce) | Gs (Green sell) | Gu (Green use) |

$$[GREEN]^3 = GP \times GS \times GU$$

GREEN³ = Gp (绿色生产) x Gs (绿色销售) x Gu (绿色使用)

Gp (Green produce)

VASAIO 维迅陶瓷
Ceramics　绿色建陶供应商

Gu (Green use)

Gs (Green sell)

T&L超薄瓷片、金刚盾（抛釉）大规格建材
www.vasaio.com.cn

PAST • PASS

过去 • 擦身而过

公司简介

雅缴精缴建材创建于九十年代初。
二十年来，致力于合成聚氨酯(PU)、
高强度纤维制品(GRG)与玻璃纤维产品(FRP)
装饰建材之天花与墙面领域，我们一直崇尚
『团体精神』、『严格质量』、『专业服务』
为经营宗旨，本着提升空间美学，
将艺术与生活完美结合，
提供一站式天花造型与墙面装饰之建议方案。

经营理念

创新、专业、诚信。
从研发团队之成立至
设计、制图、打样、雕塑、制模
等各项工作，
因循渐进的为客户提升产品质量，
融入家居生活品味。
雅缴全面采用环保材料，应用于装饰建材，
不仅美观、舒适、也等同安心。

绿色生活、感受雅缴

雅缴产品系列采用耐用性银强的美国进口
特种聚氨脂合成原料，不断提升生产技术
和结合我们最强的专业团队及高科技生产设备，
使雅缴产品能在市场上广泛采用。
每件雅缴产品必需达至精缴多元化、立体视觉艺术
为载体的造型以整合流畅产品系列为设计主轴，
不断推陈出新，融入现代经典设计风格。
雅缴产品能抗蛀、防潮、不发霉、易于清洗，永保如新。
不受天气变化而变形弯曲，不脱落，不龟裂，耐用高。
质轻易搬运，损耗率极低。
具弹性，能配合工程弧形天花造型。
施工简便，可刨、可粘、可钉，施工容易。
产品表面可涂装任何颜色涂料。
凭借其卓越成就与锐意进取的精神，
雅缴精缴建材自1993年以来
便成为全国建筑装饰业内的领导品牌之一。

接 • 点

PRESENT • TOGETHER

现在 • 有缘相遇

FUTURE • COOPERATE

未来 • 共同创建

雅缴 •

You

咨询及客服 联络人：戴小姐(86) 15018954885 QQ：2386989654 邮箱：2386989654@qq.com
广州（天河）：广州市天河区广州大道中 85号 红星美凯龙全球家居生活广场二楼 B8010_2 铺
广州（南岸）：广州市荔湾区南岸路 30号 广州装饰材料市场 B栋.005 铺
深圳（坂田）：深圳市龙岗区坂田街道坂雪岗大道 163号 P栋一楼 3号
WWW.tip-top.hk

Shenzhen   Guangzhou   Hong Kong

深圳   广州   香港

过程 · PROCESS

3.Carving
原型雕塑

4.As-built
实现

2.Our suggestions
雅缴建议

1.Your Concept
你的概念

雅缴精缴建材
CREATIVE DECORATION MATERIALS
SINCE 1993

材

Ceilings and Walls Partner

你的天花与墙面好伙伴!!!

诚邀阁下 携手合作 共同创建 完美项目

We cordially invite you to cooperates any new project

Since 1993
雅缴精缴建材
CREATIVE DECORATION MATERIALS

天花与墙面 装潢好伙伴
Your Walls and Ceilings Partner

奢华非凡 唯美艺术

COSTLY SPECIAL AESTHETIC ART

伦勃朗家居配饰
24K 镀金家居饰品彰显高贵品质

为您的家，我们提供更多饰品：吊灯、壁灯、台灯、
落地钟、挂钟、台钟、花架、衣架、饰品架、餐车、屏风、烛台、烟盅、果盘、杂志架等，还有精心定
制的床垫、床上用品、地毯、木皮画等配套品。

For your home,we offer more accessories:chandlier,wall lamps,table lamps,floor deck,table clock,flower racks,clotes hangers,jewelry shelf,dining car,candle,smoke
pots,fruit tray,magazine rack,etc.as well as carefully,Custom mattresses,bedding,carpet,wood paintings and other ancillary products.

佛山市顺德区伦勃朗家居有限公司
Foshan city shunde district Rembrandt
furniture CO.,LTD

地址：中国广东省佛山市顺德区龙江镇旺岗工业
区龙峰大道 43 号
Add：No. 43 Longfeng Road.Wanggang Industrial
Zone, Longjiang Town.Shunde District. Foshan
City Guangdong Province. China

电话：86-757-23223083　23870993
传真：86-757-23226378　23870997
邮箱：sales@rembrandt.com.cn
网址：www.rembrandt.com.cn

打造中国喷墨砖第一品牌

饰界瓷砖目

方寸空间即有变化万千，只有

由金牌亚洲创新演绎的

全新喷墨+工艺，深层次晶变纹理，超越天然的装饰

为您创造专属

制 大设计之选

HOME DECORATION SECTOR MASTERPIECE
DESIGN CHOICE

正懂得空间的人才能琢磨。

界，3.2M辽阔篇幅，

品相，唯有顶尖设计师才能驾驭的饰界瓷砖巨制，

的设计格调。

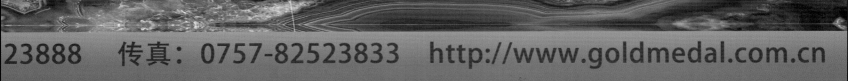

23888　　传真：0757-82523833　　http://www.goldmedal.com.cn

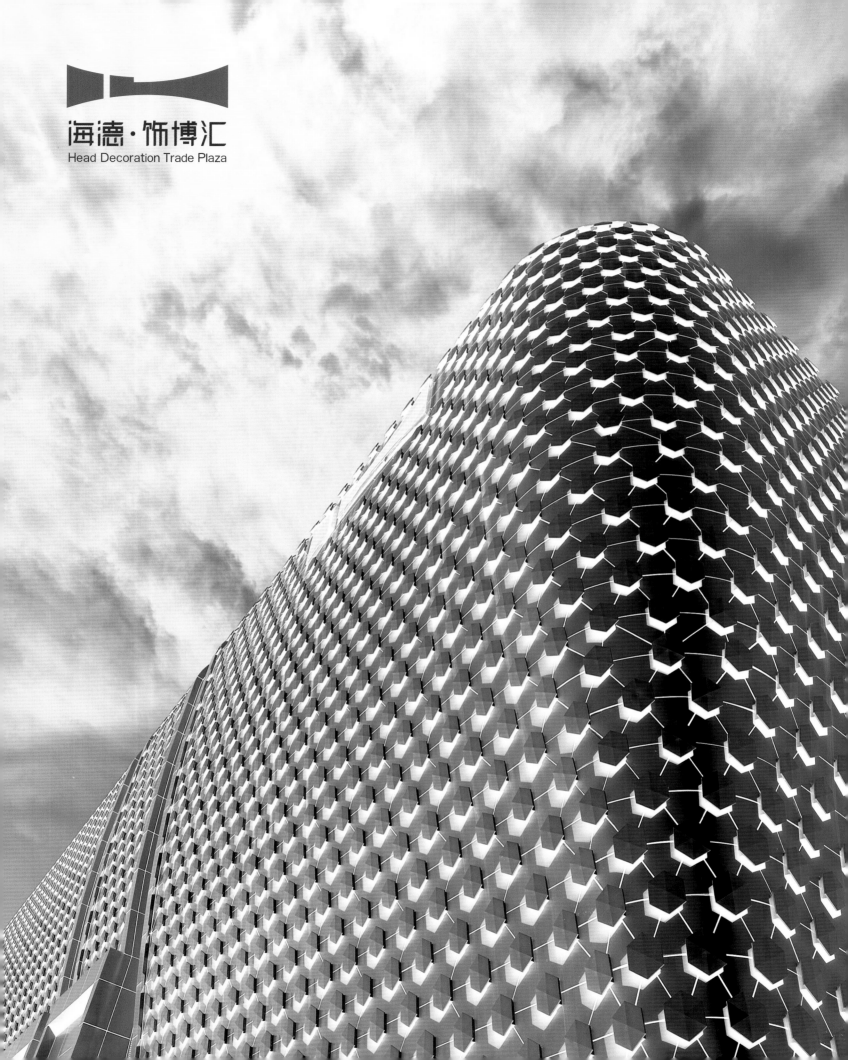

海德·饰博汇
Head Decoration Trade Plaza

海德·饰博汇
Head Decoration Trade Plaza

长三角一站式工程饰品选材基地
www.eshibohui.com

饰博汇——中国陈设艺术设计第1门户
www.eshibohui.cn

浙江省嘉兴市经济开发区桐乡大道 1235 号　　86-0573-82692320

China Designer.com
中国建筑与室内设计师网

设计公司专属网盘

——存储代替优盘，传输代替QQ

同步盘
www.tongbupan.com

他们正在使用同步盘，诚邀您的加入：

筑邦　　　　　乐尚　　　　　华汇集团

海量存储 告别优盘： 超大空间的同步盘可以自动保存设计稿，安全可靠、自动备份；任何时间、任意文档都能被轻松检索。凭借多终端同步功能，无论是 Windows、Mac、iPhone、iPad 、Android 等各种移动设备，都可以随时随地访问设计稿，彻底告别优盘。

自动传输代替 QQ： 将超大的设计文件生成一个链接，通过邮件轻松发送给客户；同步功能更能实现文档自动传输，完全不必担心网络断线，文件传输全面代替 QQ。

安全存储 永不丢失： 构架在阿里云开放存储平台之上，使用银行级传输加密、文件加密存储、防暴力破解等多重安全技术保障。使用了和 Gmail 相同等级的安全证书，数据传输安全通道值得信赖。同时，7*24 小时不间断冗余备份，给企业提供全面可靠的存储服务，设计文件永不丢失。

协同设计 合作高效： 除存储外，同步盘支持设计团队间的协同工作，只要将文件夹与其他成员共享，即可简单快捷地了解团队的进展并及时做出评论和修改，让整个项目组在办公室和移动过程中随时随地开展工作，从而极大地提高效率。

分级权限管理 确保设计成果不泄露： 同步盘为共享文件夹设置访问权限，公共文件支持权限嵌套；安全外链实时控制外部用户访问，更能实时回收文档；"仅可预览"功能在传播设计理念的同时又可保证文档不被二次利用；通过八种角色和多层级的安全权限来保证设计成果安全、可控。

AI、PSD、DWG 专业格式预览： 同步盘特别增强了文件的在线预览和在线编辑功能，实现了对 .psd，.ai，.dwg 等专业设计格式的在线预览功能；并与 Office，AutoCAD，Illustrator，Photoshop 完美结合，无需上传下载，即可实现对文档的在线编辑，保存后自动同步更新，紧密贴合设计师的工作流程，成为业界独有的应用。

易装修

China-Designer.com
中国建筑与室内设计师网

手机客户端

易装修在手，无论你身在何方所在何处设计师、设计图库轻松掌握！！

更炫的图片效果，更智能的搜索功能，更贴身的服务

 "易装修" IOS客户端
App store 商店下载

 "易装修" Android 客户端
各大安卓商店下载安装

iPhone版"易装修"

用户直接通过手机苹果

商店App Store搜索下载

使用，或者通过 iTunes

软件搜索下载安装

安卓版"易装修"

用户可以通过手机安卓

商店搜索"易装修"

下载使用

易装修

China-Designer.com
中国建筑与室内设计师网

iPad客户端

 "易装修HD" IOS客户端
App store 商店下载

iPad版"易装修HD"

用户直接通过手机苹果

商店App Store搜索下载

使用，或者通过 iTunes

软件搜索下载安装

北京吉典博图文化传播有限公司是融建筑、美术、印刷为一体的出版策划机构。公司致力于建筑、艺术类精品画册的专业策划。以传播新文化、探索新思想、见证新人物为宗旨、全面关注建筑、美术业界的最新资讯。力争打造中国建筑师、设计师、艺术家自己的交流平台。本公司与英国、新加坡、法国、韩国等多个国家的出版公司形成了出版合作关系。是一个倍受国际关注的华语出版策划机构。

Beijing Auspicious Culture Transmission Co., Ltd. is a publication-planning agency integrating architecture, fine arts and printing into a whole. The Company is devoted to the specialized planning of the selected album in respect of architecture and art, and pays full attention to latest information in the fields of architecture and art, with the transmission of new culture, the exploration of new ideas, the witness of new celebrities as its tenet, striving to build up the communication platform for Chinese architectures, designers and artists. The Company has established cooperative relationships with many publishing companies in Britain, Singapore, France and Korea etc. countries; it is an outstanding Chinese publishing agency that draws the global attention.

Contributions 征稿
Wanted...
进行中……

室内·建筑·景观

感谢您的参与！

吉典文化
WWW.JI-CHINA.COM

TEL: 010-68215537 010-67533200   E-MAIL: jidianbotu@163.com   bjrunhuan@163.com

RETAIL 购物

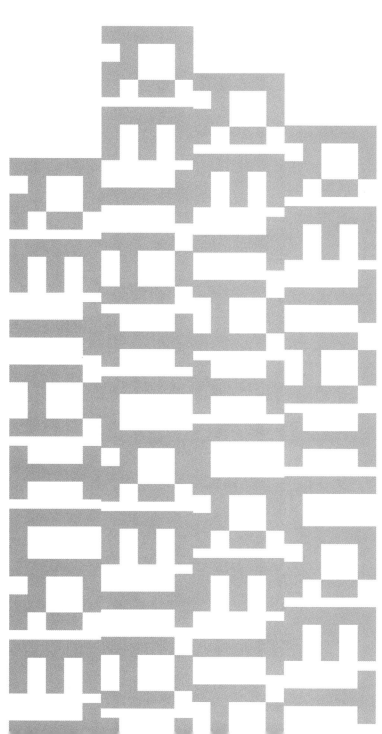

目录

CONTENTS

主案设计：
曾伟坤-曾伟锋 Zeng Weikun-Zeng Weifeng
博客：
http:// 928568.china-designer.com
公司：
厦门一亩梁田装饰设计工程有限公司
职位：
设计总监——创意总监

职位：
室内装饰高级设计师
中国建筑学会室内设计分会会员
中国室内设计师协会专业会员

奖项：
2010年作品荣获"海峡杯"海峡两岸室内设计大赛商业空间铜奖
2012年作品获"中国室内设计师黄金联赛第2季"公共空间工程类二等奖
2012年作品获"中国室内设计师黄金联赛第3季"公共空间工程类二等奖

庄姿服饰
Zhuangzi Apparel

A 项目定位 Design Proposition
庄姿服饰位于福建厦门禾祥西路繁华路段店铺。设计师采取了以简单清新为主题的设计手法。

B 环境风格 Creativity & Aesthetics
给人一种时尚与自由的气息。实现丰富与单纯之间的转化与统一。

C 空间布局 Space Planning
以方格元素镂空结合黑镜与镂空形式变换；给消费空间增添几许灵动；延展空间视线。

D 设计选材 Materials & Cost Effectiveness
运用纯净的白；搭配温和的黄；零星点缀沉静的黑；使空间大气舒适，而不缺乏稳重与典雅。

E 使用效果 Fidelity to Client
让看多了琳琅满目服装的疲倦眼睛有个休息的地方，让逛街走累了的脚有个歇息的地方。

Project Name_
Zhuangzi Apparel
Chief Designer_
Zeng Weikun, Zeng Weifeng
Location_
Xiamen Fujian
Project Area_
90sqm
Cost_
100,000RMB

项目名称_
庄姿服饰
主案设计_
曾伟坤、曾伟锋
项目地点_
福建 厦门
项目面积_
90平方米
投资金额_
10万元

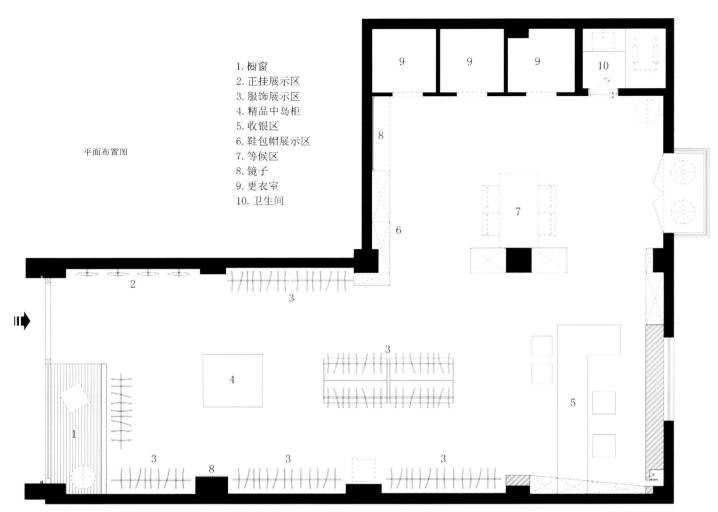

平面布置图

1. 橱窗
2. 正挂展示区
3. 服饰展示区
4. 精品中岛柜
5. 收银区
6. 鞋包帽展示区
7. 等候区
8. 镜子
9. 更衣室
10. 卫生间

主案设计:
吴联旭 Wu Lianxu
博客:
http:// 822040.china-designer.com
公司:
福州C&C(联旭)设计有限公司
职位:
总设计师

奖项:
2011年度十佳办公空间
项目:
玲珑

十足韵律
Rythme Complet

A 项目定位 Design Proposition
作为一个高档商品展示空间,既要出品味又不喧宾夺主,所以设计师把本案定位于现代风格。

B 环境风格 Creativity & Aesthetics
设计师用一些简单的几何元素和材质打造出一个简洁的展示空间。

C 空间布局 Space Planning
简单的形体,让上下层的空间形成贯通的整体,类似T台的走道,吊顶亚克力折射的灯光,让来客尊享无限荣耀。

D 设计选材 Materials & Cost Effectiveness
淡雅的石材与木质饰面,块面感极强的亚克力吊顶和木质装饰,塑造出简洁素雅的特征。银色马赛克与亚克力方格,熠熠生辉,尽显空间的高贵。

E 使用效果 Fidelity to Client
几乎每一位经过该专卖的客户,都会进去瞄一瞄,促成销售的同时对商店知名度有着极大的推广作用。

Project Name_
Rythme Complet
Chief Designer_
Wu Lianxu
Location_
Fuzhou Fujian
Project Area_
170sqm
Cost_
350,000RMB

项目名称_
十足韵律
主案设计_
吴联旭
项目地点_
福建 福州
项目面积_
170平方米
投资金额_
35万元

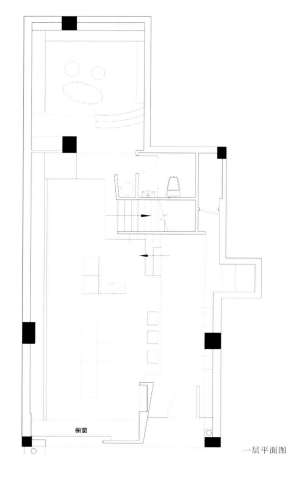

一层平面图

主案设计：
姜峰 Jiang Feng
博客：
http:// 148028.china-designer.com
公司：
深圳市姜峰室内设计有限公司
职位：
教授级高级建筑师

奖项：
国务院特殊津贴专家
深圳市地方级人才
中国室内设计成就奖
中国酒店设计领军人物
广东省功勋设计师
室内设计杰出成就奖
全国有成就资深室内建筑师

终身设计艺术成就奖
项目：
深圳市市民中心
深圳会议展览中心
珠海海泉湾度假城
深圳四季酒店
天津圣瑞吉酒店
深圳丽思•卡尔顿酒店

内蒙锦江国际大酒店
深圳金光华广场
深圳地铁车站
大连文化中心

北京悠唐广场
U-town Lifestyle Centre

A 项目定位 Design Proposition

悠唐生活广场是一家超大型主导各种业态的综合体项目，体量占11万平方米的悠唐生活广场采用典型的街坊式布局，目的是为了打造第一个广场式商业地产项目。

B 环境风格 Creativity & Aesthetics

整体商业设施都在外围道路围合的街坊内组织规划，采用步行区的方式，同时又和外部交通相联系，便捷而独立。

C 空间布局 Space Planning

商业空间设计中尤为重要的是空间的流动，其主要分为虚拟和现实两种，其中虚拟的空间流动是指通过高新科技技术影像等手法形成一种空间上的变代，让空间成为一种流动的空间，使人感觉在里面穿梭就像在空间中漫游；而现实的空间流动则是为了使展品和观众更接近，更好地为产品做宣传。

D 设计选材 Materials & Cost Effectiveness

本案在空间设计中，设计师在整个展示空间中调动一切可能配合的因素，在造型设计上做到有特色，在色彩、照明、装饰手法上力求别出心裁，在布置方式上将展示陈列人性化，使整个空间和过程完整。

E 使用效果 Fidelity to Client

11万平方米一站式大型综合消费中心，拥有京城最大的室内中心广场、最丰富的特色餐饮美食总汇、最聚人气的娱乐新天地、最时尚的休闲世界、最具特色的空中SHOW场、最自由的高科技无限上网天地、组合成北京最具活力的绚彩综合体。

Project Name_
U-town Lifestyle Centre
Chief Designer_
Jiang Feng
Participate Designer_
Liu wei
Location_
Chaoyang Beijing
Project Area_
14,000sqm
Cost_
24,000,000RMB

项目名称_
北京悠唐广场
主案设计_
姜峰
参与设计师_
刘炜
项目地点_
北京 朝阳区
项目面积_
14000平方米
投资金额_
2400万元

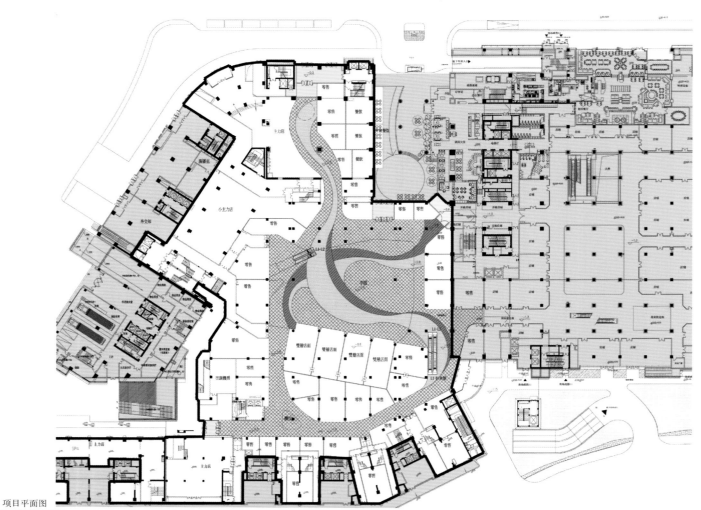

项目平面图

主案设计：
姜峰 Jiang Feng
博客：
http:// 148028.china-designer.com
公司：
深圳市姜峰室内设计有限公司
职位：
教授级高级建筑师

奖项：
国务院特殊津贴专家
深圳市地方级人才
中国室内设计成就奖
中国酒店设计领军人物
广东省功勋设计师
室内设计杰出成就奖
全国有成就资深室内建筑师

终身设计艺术成就奖
项目：
深圳市市民中心
深圳会议展览中心
珠海海泉湾度假城
深圳四季酒店
天津圣瑞吉酒店
深圳丽思·卡尔顿酒店

内蒙锦江国际大酒店
深圳金光华广场
深圳地铁车站
大连文化中心

沈阳大悦城
Cofco Joy City

A 项目定位 Design Proposition

中粮沈阳大悦城，秉承大悦城的品牌概念，着力于打造国际现代化的精品购物中心。"中粮沈阳大悦城"由A、B、C、D四馆和沃尔玛超市构成，是以国际化的大型Shopping Mall作为核心的主题购物中心，集购物、餐饮、娱乐、文化、休闲于一体。

B 环境风格 Creativity & Aesthetics

将时尚的步行街景观、现代化的地铁交通枢纽与国际领先的购物中心沈阳大悦城中心主题有机结合的理念，堪称国内首见，亦将成为本项目最大的特色和亮点。

C 空间布局 Space Planning

主动线简洁清晰，贯穿于各中庭之间，将聚集于中庭处的人流扩散至空间的各个角落，保证每间店铺的人流量，同时丰富不同楼层的购物氛围，实现互相借景和人流共享。

D 设计选材 Materials & Cost Effectiveness

天棚呼应中庭形态，被造型切割过的自然光线洒入空间，形成了丰富的光影效果；观光梯设置于此，丰富的外立面装饰线条，虚实的材质对比，成为中庭的亮点，让顾客在通往较高楼层的同时感受中庭浓郁的商业氛围；两个镜面不锈钢跨层楼梯的设置，更好地将人们拉至高层，避免了楼层过高产生的弊端。

E 使用效果 Fidelity to Client

五大主题购物广场，五座最现代化的建筑，全新亮丽的外观及舒适的购物商场；宽广的购物空间与考究的陈列组合，让您充分感受舒适的雅致购物环境；四大馆强强联手，馆馆相连，形成空中城市连廊；超强的餐饮娱乐组合弥补中街空白。

Project Name_
Cofco Joy City
Chief Designer_
Jiang Feng
Participate Designer_
Liu wei, Zhao xin
Location_
Shenyang Liaoning
Project Area_
24,829sqm
Cost_
30,000,000RMB

项目名称_
沈阳大悦城
主案设计_
姜峰
参与设计师_
刘炜、赵鑫
项目地点_
辽宁省 沈阳市
项目面积_
24829平方米
投资金额_
3000万元

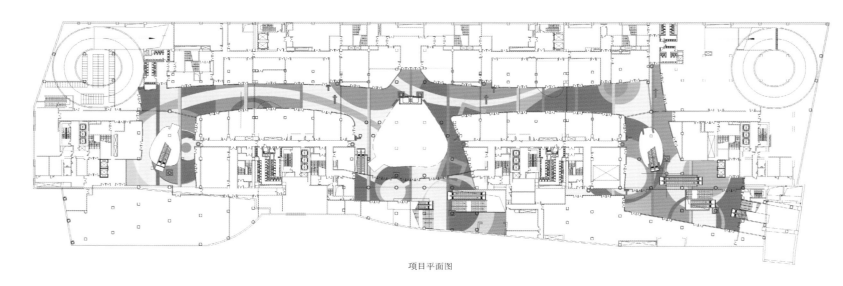

项目平面图

主案设计：
赵学强 Zhao Xueqiang
博客：
http:// 408190.china-designer.com
公司：
弗瑞思空间设计有限公司
职位：
设计总监

奖项：
金堂奖2011中国室内设计年度十佳购物空间
金奖
筑巢奖2011中国国际空间环境艺术设计商业
空间设计 金奖
红棉奖2010中国创新设计大奖
2009中国室内环境艺术设计大赛办公空间组
一等奖

项目：
海昌集团极地海洋公园.海角七号酒店
云南丽江V12主题酒店
FRS西南办事处办公室
成都文旅集团三岔湖数字招商中心
万达广场锦华店城市综合体设计

意大利蜜蜂瓷砖南京展厅
Imolacn Ceramic Tile Exhibition

A 项目定位 Design Proposition
以消费群体的消费行为和心理变化为核心的设计思路和市场定位，主要针对中高端消费群体。

B 环境风格 Creativity & Aesthetics
"椭圆"作为空间的构成元素，并且整个空间以白色为主，现代简洁。

C 空间布局 Space Planning
空间布局强调展厅功能的开放性，并且让每个角度都有不同的美感。

D 设计选材 Materials & Cost Effectiveness
整个空间主要以乳胶漆为主，用最少种类的材料表达完所有的空间，并且满足"高贵、时尚、环保、自然"等特点。

E 使用效果 Fidelity to Client
已有好评。

Project Name_
Imolacn Ceramic Tile Exhibition
Chief Designer_
Zhao Xueqiang
Participate Designer_
Li Tao
Location_
Nanjing Jiangsu
Project Area_
309sqm
Cost_
800,000RMB

项目名称_
意大利蜜蜂瓷砖南京展厅
主案设计_
赵学强
参与设计师_
李涛
项目地点_
江苏省 南京市
项目面积_
309平方米
投资金额_
80万元

平面图

主案设计：
萧爱华 Xiao Aihua
博客：
http:// 816453.china-designer.com
公司：
上海萧视设计装饰有限公司
职位：
首席执行

奖项：
2009年获得"中国十大样板间设计师最佳网
络人气奖"
2009年获得华润杯中国建筑设计师摄影大赛
最佳建筑表现奖
2010年获得全国杰出设计师称号
2011获全国金堂奖最佳设计空间奖
2011获邀成为CIID室内设计年会摄影评审委员

项目：
帝庭
佘山高尔夫
顾家家居
美国巴麦龙服装公司
日本史宾瑟料理

递展国际家居展厅
International home furnishing of CATTELAN

A 项目定位 Design Proposition
"递展家居"——吉盛伟邦国际家具村店是国际顶级家具品牌进入中国市场时选址的一个创新，为配合本地高端消费人群一站式采购的购物习惯，品牌方特别选在一个相对偏远但又结合展会功能的大型家具MALL里设立了品牌在中国最大、最全面的整体家具展示馆。

B 环境风格 Creativity & Aesthetics
通过对国际大牌形象展示的需求剖析，大胆地打破了原有建筑的外墙结构，在临近连接商场各栋建筑的主要道路一侧，新增了一个独立的入口，6米多高双面三维的主门头设计，用黑色铝板基底面衬托着红色的品牌LOGO简洁大气，让品牌国际形象醒目突出更显尊贵。

C 空间布局 Space Planning
设计时提出了阴阳相分，阴阳交融的空间，色调规划思路，在地面材质上选择黑白两色的玻化地砖，类似中国传统太极图案的特点，铺设时从两个进门处同色大面积整铺，逐渐过渡交融，白中有黑，黑中有白，图案却又是现代的波点平面构成，传统现代两者时光交织，让意大利进口品牌产品的现代和新古典系列恰如其分地存在于各自的空间，却又动态展现了现代工业文明的创意演变史。

D 设计选材 Materials & Cost Effectiveness
墙面跟随地面材质颜色的变化，大面积使用雅灰色和米白色，很好的衬托了空间的气氛和意大利高端家具的品质感。根据展示空间层高较高的特点，设计时在顶面保留了建筑的原有结构，大面涂成灰黑色，让顶面层次更深邃。同时在顶上吊装了大小不同高低不一的米白色局部吊顶色块，如同浮云般的浪漫优雅，富有创新的未来感；又给下方的家具空间提供合理的层高，有着居家的温馨感。

E 使用效果 Fidelity to Client
业主十分满意。

Project Name_
International home furnishing of CATTELAN
Chief Designer_
Xiao Aihua
Location_
Shanghai
Project Area_
500sqm
Cost_
500,000RMB

项目名称_
递展国际家居展厅
主案设计_
萧爱华
项目地点_
上海
项目面积_
500平方米
投资金额_
50万元

平面图

主案设计:
谢英凯 Xie Yingkai
博客:
http:// 158254.china-designer.com
公司:
汤物臣•肯文设计事务所
职位:
董事、设计总监

奖项:
<Interior Design>中文版 "2010中国室内设计年度封面人物" 奖
美国星火国际设计大奖
ASID 美国室内设计师学会/<Interior Design>酒店设计奖
香港•亚太室内设计大奖 "设施/展览空间" 金奖
金堂奖——年度十佳娱乐空间设计大奖

项目:
河南郑州畅歌KTV
江苏南京Agogo
芜湖星光灿烂娱乐城
广东德庆盘龙峡天堂度假区
广东花都王子山休闲生态度假区
北京顺景温泉酒店
顺德喜来登酒店
陕西西安滚石新天地KTV

南京Agogo国际购物中心
Agogo International Shopping Center, Nanjing

A 项目定位 Design Proposition

从最初因照明需要而出现的点点灯光，到由于人群的聚集和城市的繁忙而出现的点线面光源，直至穿梭于街道网络中的车光流影，光影不仅是人们城市印象中不可或缺的一部份，更充分体现了人们聚集的生活气息与生机。

B 环境风格 Creativity & Aesthetics

本案利用光影的速度、明暗、迷惑表现城市生活的意象，于空间中探索未来光影的种种可能。

C 空间布局 Space Planning

设计师通过光影来连接体块的通道或体块本身，让体块之间拥有高低起伏的变化及迂回穿行的乐趣。光影突显了体块，体块构造了空间，空间又反过来隔断了光影，三者形成统一的整体，相得益彰。

D 设计选材 Materials & Cost Effectiveness

设计师利用光特有的表现力赋予空间以生命，或静止、或流动、或理性、或感性。在光影里，物体会呼吸、墙壁会跳舞，平凡的材质有了活力。人于空间中游走，于光影中穿梭，影子随之产生各种变幻，令人由旁观者变成了参与者，在开启房间的瞬间，行走于大堂或过道的时候，甚至在洗手间的片刻，都在参与体块与光影的游戏，并在这种游戏中感受充满生机与感动的生活意象。

E 使用效果 Fidelity to Client

业主十分满意。

Project Name_
Agogo International Shopping Center, Nanjing
Chief Designer_
Xie Yingkai
Location_
Nanjing Jiangsu
Project Area_
3,452sqm
Cost_
18,000,000RMB

项目名称_
南京Agogo国际购物中心
主案设计_
谢英凯
项目地点_
江苏省 南京市
项目面积_
3452平方米
投资金额_
1800万元

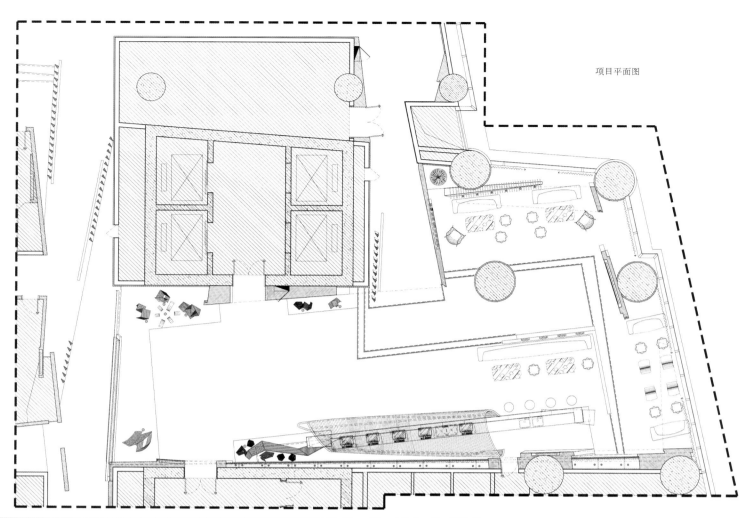

项目平面图

主案设计：
任萃 Ren Cui
博客：
http:// 1015142.china-designer.com
公司：
十分之一设计事业有限公司
职位：
设计总监

奖项：
2009年TID
2010年TID
2010年亚太设计筑巢奖
2011年、2012年新秀设计师

项目：
Iceburg冰藏

爱徒
Attos

A 项目定位 Design Proposition
以前瞻性之空间设计，引领高端奢侈品做复合品牌的个人搭配服务。故空间颠覆以往奢侈品品牌的规矩布局，并带领环保概念。

B 环境风格 Creativity & Aesthetics
本建案位于百年建筑之一、二楼，外观为典雅之英式风格，内装为前卫新颖的雕塑性空间。两者对应下的新旧交融，同时吸引迷恋古迹及现代风格之不同客层消费者。

C 空间布局 Space Planning
以圣经的创世纪，作为空间动线主轴，依商品属性不同，随着故事节点，创造不同视觉陈列高峰。

D 设计选材 Materials & Cost Effectiveness
利用废弃船板，二次利用之空运箱体——刨花板，作为保卫地球的回收装饰材。

E 使用效果 Fidelity to Client
奢侈品，除了用高档材料的演绎空间之外，平易近人的回收材料更容易把温度带给消费者。

Project Name_
Attos
Chief Designer_
Ren Cui
Location_
Shanghai
Project Area_
425sqm
Cost_
2,500,000RMB

项目名称_
爱徒
主案设计_
任萃
项目地点_
上海
项目面积_
425平方米
投资金额_
250万元

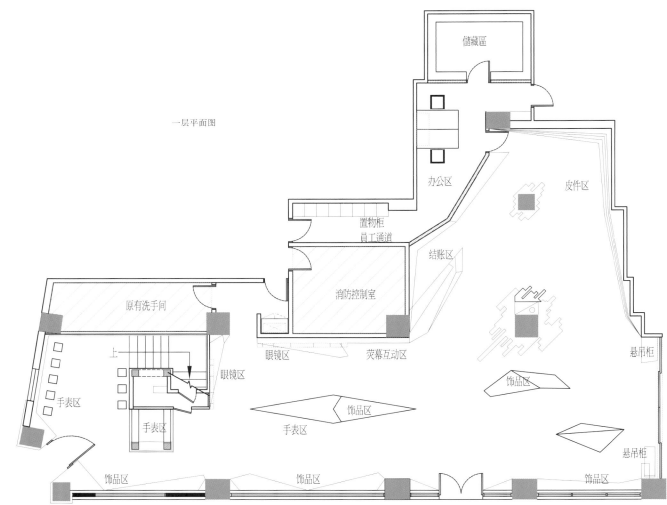

一层平面图

储藏區

办公区

皮件区

置物柜
員工通道

结账区

原有洗手间

消防控制室

悬吊柜

上

眼镜区

眼镜区

荧幕互动区

饰品区

手表区

手表区

饰品区

手表区

悬吊柜

手表区

饰品区

饰品区

饰品区

主案设计:
屈慧颖 Qu Huiying
博客:
http:// 501362.china-designer.com
公司:
重庆旋木室内设计有限公司
职位:
设计总监

重庆天地·石屋
Chongqing Tiandi. Stonehouse

A 项目定位 Design Proposition

从项目规模来看，"重庆天地·石屋"是个规模不大的"旧房"改造项目，总楼面面积约为100平方米，整合了瑞安地产客户中心和精品店两个功能，用于接待与引导前来咨询的客人，同时有瑞安自己的产品和外购的产品提供给游客和天地的租户。

B 环境风格 Creativity & Aesthetics

重庆天地·石屋经过精心布局，将中国传统元素和现代建筑的设计手法恰到好处地融合，极力地体现传统与现代、粗犷与细腻、坚硬与柔和的激烈对撞。

C 空间布局 Space Planning

本项目突出的是空间的特征、气质，而不是刻意的张扬。

D 设计选材 Materials & Cost Effectiveness

用现代技术保留了重庆传统"旧建筑"的风骨，凸显建筑本身的内敛与质朴。

E 使用效果 Fidelity to Client

通过重庆天地·石屋领略重庆传统建筑形态和现代生活形态的场所。

Project Name_
Chongqing Tiandi. Stonehouse
Chief Designer_
Qu Huiying
Participate Designer_
Ran Xu, Li Qian, Ren Juan
Location_
Chongqing
Project Area_
100sqm
Cost_
200,000RMB

项目名称_
重庆天地·石屋
主案设计_
屈慧颖
参与设计师_
冉旭、李茜、任娟
项目地点_
重庆市
项目面积_
100平方米
投资金额_
20万元

主案设计：
吴喜腾 Wu Xiteng
博客：
http:// 1399.china-designer.com
公司：
北京吴喜腾建筑装饰设计事务所
职位：
首席设计师

奖项：
2008年获第三届中国国际设计艺术观摩展
"2007年度设计艺术成就奖"、"2007年度
设计艺术推动奖"、"中国家居设计30人"荣
誉称号
2010年获"金堂奖年度海外市场拓展奖"
2011年获"金堂奖年度优秀作品奖"

项目：
山西移动通信有限公司晋祠培训楼
北京盈都大厦阿伦酒吧
北京竹溪园别墅

河北廊坊陈升会馆
Hebei Langfang Chansheng Guild Hall

A 项目定位 Design Proposition

位于高级会所商圈中的中式顶级奢侈品会馆，周边配套有高尔夫球场、五星级酒店、别墅和高级公寓等，以经营顶级红木家具、茶叶以及围绕品茶所衍生出来的周边产品，主要提供给会员交流和品茶使用，限时对外开放经营。

B 环境风格 Creativity & Aesthetics

以现在简约的基础装饰风格，结合明式红木家具以及围绕茶艺的周边产品，形成全新的品茶及交流购物空间，完美融入到周边的欧洲小镇风情当中。

C 空间布局 Space Planning

通过巧妙的空间布局方法，把仅有的72平方米空间划分成三个区域，主入口接待区、展示专区和品茶交流区，其中品茶交流区通过沙帘和家具的分隔可以满足会员使用的半私密要求。

D 设计选材 Materials & Cost Effectiveness

把展品也作为室内设计的一部分元素，融入到空间当中。

E 使用效果 Fidelity to Client

得到业主、会员和顾客一致的好评！

Project Name_
Hebei Langfang Chansheng Guild Hall
Chief Designer_
Wu Xiteng
Location_
Langfang Hebei
Project Area_
72sqm
Cost_
100,000RMB

项目名称_
河北廊坊陈升会馆
主案设计_
吴喜腾
项目地点_
河北省 廊坊市
项目面积_
72平方米
投资金额_
10万元

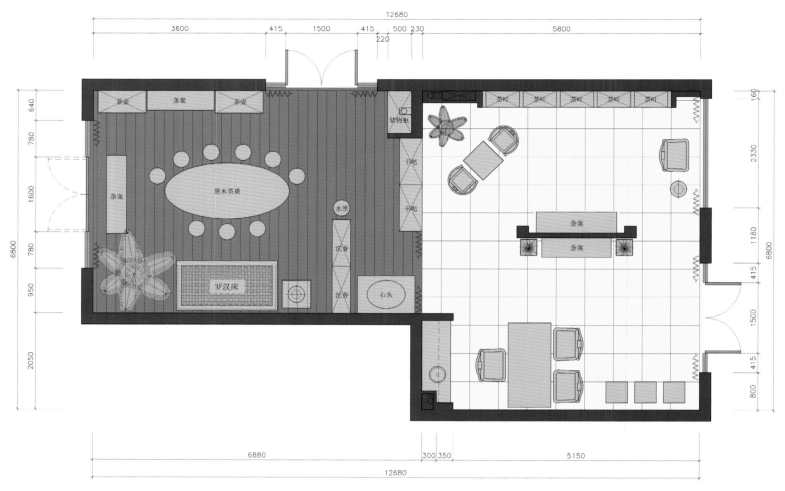

平面布置图

主案设计：
周才涌 Zhou Caiyong
博客：
http:// 161214.china-designer.com
公司：
常熟会心一族室内设计
职位：
设计总监

项目：
北辰国际大酒店
常熟森林大酒店
上海宋庆龄别墅翻新
苏州世纪名典大酒店
苏州鲤鱼门大酒楼
苏州佳顺房产售楼处
尚湖中央花园样板房

兰斯咖啡馆
苏州、无锡丝格丽连锁店
高诚云良会所
佳和广场健身中心
湖畔现代城样板房

古纳瓦拉酒庄
Gunnar Vala winery

A 项目定位 Design Proposition
古纳瓦拉酒庄位于世茂商业区，本案的设计概念是在人，空间，产品之中寻找出一种互动，彰显产品的视觉效果。

B 环境风格 Creativity & Aesthetics
以深厚的文化底蕴，结合欧式的典雅及贵族的气势，让您在品酒之余，也能领略到酒庄的独特风采。享受古纳瓦拉葡萄酒至真至诚的高贵品质。

C 空间布局 Space Planning
平面布局以椭圆形为中心流畅的线条划分接待区，展示区，洽谈区，精品展览区等功能区，透过精细设计动线相互借景串联，巧妙地形塑出各区视景的绝妙构图，如二层精品区透过挑空的大厅呼应展示柜，营造出若影若现的空间层次。呈现虚实交错的神秘感以及完全私有的专属感。

D 设计选材 Materials & Cost Effectiveness
信步走进高5.1米的大厅，一个巨大拱形造型的葡萄酒展示柜，一气呵成高耸入天花，给人一种气势磅礴之感觉。

E 使用效果 Fidelity to Client
业主非常满意。

Project Name_
Gunnar Vala winery
Chief Designer_
Zhou Caiyong
Participate Designer_
Yao feirong, Yao feihua
Location_
Changshu Jiangsu
Project Area_
228sqm
Cost_
1,000,000RMB

项目名称_
古纳瓦拉酒庄
主案设计_
周才涌
参与设计师_
姚飞荣、姚飞华
项目地点_
江苏省 常熟市
项目面积_
228平方米
投资金额_
100万元

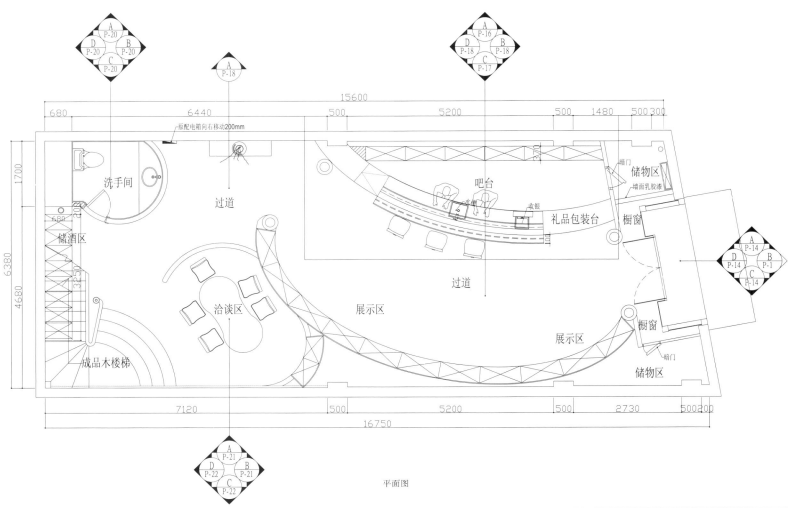

平面图

主案设计：
马昌国 Ma Changguo
博客：
http:// 172321.china-designer.com
公司：
上海俱意室内设计工程有限公司
职位：
设计总监

奖项：
中国上海第四届建筑装饰设计大赛一等奖
中国上海第四届建筑装饰设计大赛三等奖
中国深圳第二届室内设计文化节优秀室内作
品展商业空间类优选
IDAA国际设计大赛商业空间类金奖

项目：
穿越幸福空间
水木空间
圆舞曲
爵士办公空间
温馨小筑
空间的新生价值

圆舞曲
The Waltz

A 项目定位 Design Proposition

来自意大利的顶级工艺世家设柜于台北信义区时尚精品百货Bellavita，以瓷器与银器为主要商品。将其精品内涵转化为空间语汇，并重塑融合品牌形象，是业主对于此精品专柜设计最大的期望。

B 环境风格 Creativity & Aesthetics

俱意设计首先精准地将商品的特性撷取出来，其一是窑烧瓷器代表的文化与感性内涵，其二是高贵银器散发的现代与理性光彩，而要成功地将感性与理性完美融合，则是从「圆」的概念出发，四方的空间中，以弧形墙面展现天圆地方的大器宽阔，圆融的线条将代表瓷器的白色和代表银器的优雅灰色紧密地交织在一起，视线随着弧线在空间中自在移转毫无迟滞；墙面展示窗格与展示桌，也以圆融的卵型呈现，让流畅的线条衬托瓷器与银器的精粹光华。

C 空间布局 Space Planning

设计师提出以改变空间来改变消费行为的概念，进而从对空间的美好感受来提升对品牌的印象，舍弃大量的展示架，改以重点式的展示台面与窗格，衬托精品美感，并在空间中设置舒适的大沙发，让人们可以在此歇息，而圆弧拉门后方，设置了简易的料理吧台，让服务人员可以在此料理轻食点心及饮料，让消费者在轻松舒适的氛围里，放松地欣赏商品。

D 设计选材 Materials & Cost Effectiveness

造型以圆为出发，需考虑选材能进行弯曲施工的特性，同时又能在表面施以裱布及涂装之工法，以适切呈现空间要求之质感，故材料使用上与一般常用材料有所区隔，且为达环保节能之效果，所有光源皆采用LED灯。

E 使用效果 Fidelity to Client

为顶级客户量身打造之消费空间，塑造高雅与尊贵之空间氛围，锁定顶级消费市场，成为商场另一标的性之购物形象。

Project Name_
The Waltz
Chief Designer_
Ma Changguo
Location_
Taiwang
Project Area_
66sqm
Cost_
500,000RMB

项目名称_
圆舞曲
主案设计_
马昌国
项目地点_
台湾
项目面积_
66平方米
投资金额_
50万元

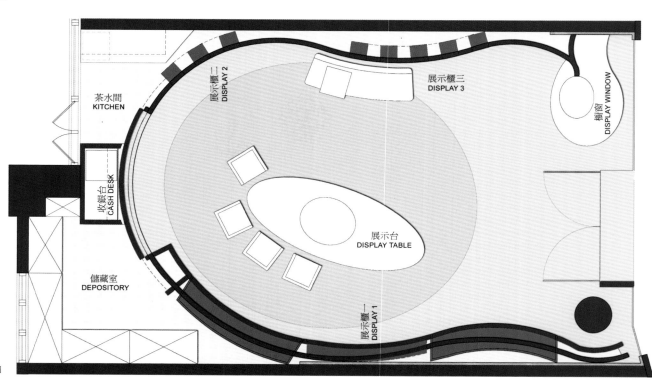

平面图

主案设计:
裴啸 Pei Xiao
博客:
http:// 371169.china-designer.com
公司:
山西满堂红装饰有限公司
职位:
首席设计师

奖项:
2008年第七届中国国际室内设计双年展"优秀奖"
2009年IAI亚太室内设计大赛"优秀奖"
2010年中国国际空间环境艺术设计大赛"银奖"

项目:
丽华苑别墅
半山国际别墅
离石样板间
阳泉御康山庄别墅
山西国贸私人会所

土耳其Vitra专卖店
Turkey Vitra store

A 项目定位 Design Proposition
简约的风格,迎合现代快节奏的都市生活。

B 环境风格 Creativity & Aesthetics
简单的材质,丰富的空间,设计是一种态度,而非手段。

C 空间布局 Space Planning
曲折、斜切的布局手法,使厚重呆板的方正空间灵活而多变。

D 设计选材 Materials & Cost Effectiveness
大面积的金属马赛克更能体现商品的科技感。

E 使用效果 Fidelity to Client
整条街的地标性卖场。

Project Name_
Turkey Vitra store
Chief Designer_
Pei Xiao
Location_
Taiyuan Shanxi
Project Area_
280sqm
Cost_
1,400,000RMB

项目名称_
土耳其Vitra专卖店
主案设计_
裴啸
项目地点_
山西省 太原市
项目面积_
280平方米
投资金额_
140万元

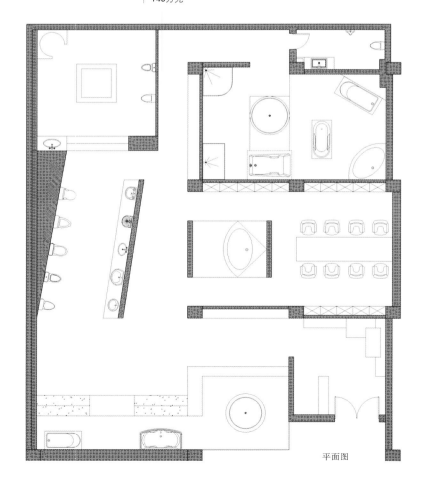

平面图

主案设计：
陈飞杰 Chen Feijie
博客：
http://480826.china-designer.com
公司：
陈飞杰香港设计事务所
职位：
总经理及首席设计师

奖项：
2011年度金堂奖十佳购物空间设计作品
2011年度国际创新优秀设计师
2011年度装饰界凤凰奖之最具品牌力设计院所
2010年度中国建筑装饰绿色环保设计百强企业
2010年度金堂奖十佳餐饮空间设计作品
2010年度金堂奖优秀休闲空间设计作品
2009年度中国建筑装饰绿色环保设计百强企业

项目：
无锡中华美食博览城　　　　　　　无锡东鹏国际酒店
无锡哥伦布广场二期酒店式公寓及办公写字楼
长城装饰卓越时代写字楼　　　　　佛山浪鲸卫浴展厅
吉事多卫浴全国连锁终端店设计　　阳光医疗美容机构深圳总店
苏州碧海玻璃产品设计
天津市塘沽区于家堡金融开发总指挥部展厅
深圳凤凰谷别墅样板房

"浪鲸卫浴" 品牌总部旗舰展厅
SSWW Headquarters flagship showroom

A 项目定位 Design Proposition
设计以游艇为主题。

B 环境风格 Creativity & Aesthetics
游艇生活代表着一种高质量的生活理念，坐在二层甲板的休闲椅上，耳边飘来轻缓优美的背景音乐，空气中弥漫着特别定制的花香。

C 空间布局 Space Planning
首层以一艘正在前行的游艇为主体，一幅大型动态海洋屏为背景，不时跃出海面的鲸，上方翱翔的海鸥，贴合了"科技浪鲸、全球浪鲸"的经营理念。二层公共区域依旧以游艇概念为主线，走廊中每间"客房"是卫浴样板间，主要以五星级酒店和豪华套房卫浴间为主体。

D 设计选材 Materials & Cost Effectiveness
丰富的石材、木饰面，使空间更加多元、时尚。

E 使用效果 Fidelity to Client
此时此刻仿佛置身在大海上享受一次美妙的旅程。

Project Name_
SSWW Headquarters flagship showroom
Chief Designer_
Chen Feijie
Participate Designer_
Wang Hongxia
Location_
Foshan Guangdong
Project Area_
2,316sqm
Cost_
7,000,000RMB

项目名称_
"浪鲸卫浴"品牌总部旗舰展厅
主案设计_
陈飞杰
参与设计师_
王红霞
项目地点_
广东省 佛山市
项目面积_
2316平方米
投资金额_
700万元

主案设计：
廖奕权 Liao Yiquan
博客：
http://785901.china-designer.com
公司：
维斯林室内建筑设计有限公司
职位：
创意及执行总监

奖项：
2011年英国国际房地产大奖的亚太区最佳室
内设计大奖
中国最成功设计大赛2011成功设计奖
现代装饰国际媒体奖2011年度精英设计师大
奖
透视设计杂志颁发2012四十骄子大奖

八卦阵BUBIES-铜锣湾分店
Yin Yang BUBIES

A 项目定位 Design Proposition

走进BUBIES Lingerie 的旗舰店,顾客会被坐立在店铺中央的艺术装置所吸引,开展一个崭新的购物体验。勾划出女性的线条美,这个艺术装置亦划分出店铺的空间,形成一个触目的中心点。装置本身亦是一个与众不同的陈列架,上面摆放着面向四方八面的电子相架,玩味之余,店铺的最新动向亦变得一目了然。

B 环境风格 Creativity & Aesthetics

揉合现代设计与传统亚洲元素,店铺地面以黑色、白色、六角瓷砖、马赛克瓷砖四种元素,划分出四个空间,构成一个「阴阳」的空间概念,表现出现代与传统相互相依,互相转化的设计哲学。

C 空间布局 Space Planning

这个阴阳四区的空间概念,亦响应了店铺的实际需求,四个空间,展示四位设计师的作品,不同产品的设计特色变得清晰分明。

D 设计选材 Materials & Cost Effectiveness

灵活的陈列装置是项目的另一个亮眼点，舍弃沉闷古板的固定陈列柜,取而代之的是一个个活动的盒子。每个盒子能随意摆放移动,形成不同的铺排和气氛。

E 使用效果 Fidelity to Client

随着陈列装置不同的摆放方式,店铺也能变成一个多用途空间,举办各式众会、活动亦胜任有余。店铺顿时由一个平凡的购物场所变成一个富有生命力的空间。

Project Name_
Yin Yang BUBIES
Chief Designer_
Liao Yiquan
Location_
Hongkong
Project Area_
140sqm
Cost_
700,000RMB

项目名称_
八卦阵BUBIES-铜锣湾分店
主案设计_
廖奕权
项目地点_
香港
项目面积_
140平方米
投资金额_
70万元

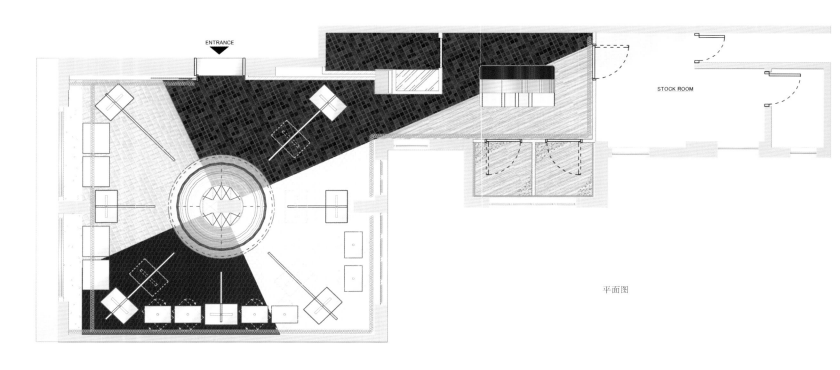

平面图

主案设计：
张晓亮 Zhang Xiaoliang
博客：
http:// 800835.china-designer.com
公司：
北京艾迪尔建筑装饰工程有限公司
职位：
总设计师

奖项：
2010中国国际空间环境艺术设计大赛 "筑巢奖"银奖
2010年金堂奖·2010 China-Designer中国室内设计年度评选年度优秀办公空间
2012 "照明周刊杯"中国照明应用设计大赛北京赛区佳作奖

项目：
腾讯科技（北京，深圳，成都，天津，上海）
安捷伦科技（成都）
丰田汽车（中国）
慕尼黑再保险

腾讯科技（北京形象店）
Tencent Technology (Beijing Exclusive Shop)

A 项目定位 Design Proposition
本案位于北京海淀区银科大厦一层，建筑面积约460平米。腾讯北京形象店是腾讯公司对外形象的重要窗口，集咖啡休闲、展示售卖及商务洽谈等功能为一体。

B 环境风格 Creativity & Aesthetics
设计过程中没有采用过于绚丽、浮华的设计理念及设计手法，设计回到了原始。逐条完美的找到功能需求同现场条件矛盾的最佳解决方案并予以实施就可以说是一个相对成功的设计。

C 空间布局 Space Planning
项目所在大厦一层空间是一个相对方正的纵深梯形空间，空间中心分布有三处结构方柱。借助这几处结构柱围合出了中心服务吧台，很好地将结构柱隐藏了起来。入口前区为半开放售卖区及咖啡散座区，平面后部分为商务洽谈区。所有功能区均为开放空间，充分体现出了空间的休闲性及亲切感。

D 设计选材 Materials & Cost Effectiveness
在照明设计中我们主要采用了二次反射及漫反射的照明方式，几乎没有采用有明光源外漏的灯具，是本案的另一特色。

E 使用效果 Fidelity to Client
我们采用最为朴实的设计手法找到了需求同空间的完美融合之道，营造出了多彩、舒适、具有科技感的最为适合腾讯的主题空间，也传达出了腾讯企业不断创新、追求卓越的精神核心。

Project Name_
Tencent Technology (Beijing Exclusive Shop)
Chief Designer_
Zhang Xiaoliang
Participate Designer_
Zhang Qing
Location_
BeiJing
Project Area_
460sqm
Cost_
1,500,000RMB

项目名称_
腾讯科技（北京形象店）
主案设计_
张晓亮
参与设计师_
张清
项目地点_
北京
项目面积_
460平方米
投资金额_
150万元

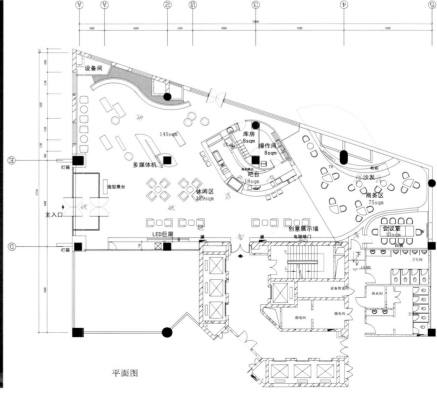

平面图

主案设计：
吴矛矛 Wu Maomao
博客：
http:// 820317.china-designer.com
公司：
北京思远世纪室内设计顾问有限公司
职位：
董事总设计师

奖项：
2011年中国室内设计年度封面人物
2003-2011年中国室内设计大赛获奖者
2011-2012获年度国际环境艺术创新设计-华鼎奖一等奖
2011-2012获年度十大最具影响力设计师
2012获年度金外滩奖"最佳照明奖"

项目：
昆明海埂会议中心总统楼
常熟中江皇冠假日酒店
NOBU餐厅
兰博基尼展厅
UME华星国际影院
中国人寿保险集团总部
宾利北京总部

宾利世纪展厅
Bentley century exhibition hall

A 项目定位 Design Proposition

英国顶级豪华轿车品牌——宾利，自2002年以来作为首批入驻中国的宾利经销商之一，宾利北京屡创佳绩，在2010-2011年蝉联宾利全球十大经销商的冠军头衔。

B 环境风格 Creativity & Aesthetics

三里屯作为北京CBD的新地标汇集众顶级奢华品牌，成为时尚文化的朝圣地，而今崭新的三里屯旗舰店将为其下一个辉煌建立新的辉煌。

C 空间布局 Space Planning

面积达1135平方米的展厅打造独树一帜的宾利风格，时尚、奢华、年轻优雅兼备，宽敞的展厅将放置更多的宾利力作，并有休闲空间可举办各式主题活动，使往来的尊贵客户在如此舒适的环境中感受纯粹的宾利世界。

D 设计选材 Materials & Cost Effectiveness

展厅内来自英国克鲁工厂的大型定制服务墙，宛如微型的宾利静静地向来宾们描述宾利品牌的精髓。

E 使用效果 Fidelity to Client

全新展厅的亮相将为客户呈现宾利年轻活力与时尚的形象，吸引更多新贵，尊享宾利服务，品味宾利生活。

Project Name_
Bentley century exhibition hall
Chief Designer_
Wu Maomao
Participate Designer_
Hu Jiayi
Location_
Sanlitun Beijing
Project Area_
1,135sqm
Cost_
8,000,000RMB

项目名称_
宾利世纪展厅
主案设计_
吴矛矛
参与设计师_
胡家艺
项目地点_
北京 三里屯
项目面积_
1135平方米
投资金额_
800万元

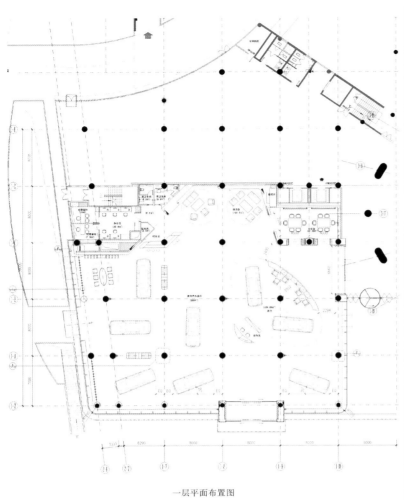

一层平面布置图

主案设计：
张明杰 Zhang Mingjie
博客：
http:// 820604.china-designer.com
公司：
中国建筑设计研究院
职位：
工作室主任

奖项：
2011年第14届中国室内设计大奖赛办公工程类金奖
2011年中国营造大赛一等奖
2011年第二届中国国际空间环境艺术设计大奖赛筑巢奖银奖
2011年蓝星杯•第六届中国威海国际建筑设计大奖赛优秀奖

项目：
首发大厦办公楼室内设计
昆山文化艺术中心影视中心设计
大同机场新航站楼室内设计
山东泰山桃花峪游客服务中心
中国神华集团总部办公楼室内设计
万达学院　北京金融街光大银行室内设计
中国文字博物馆

常州某商业广场步行街
Pedestrian Street in a shopping mall,ChangZhou

A 项目定位 Design Proposition
作为全国著名的商业连锁机构，一直以来都会针对不同区域的经济的发展水平及文化基础，兼顾消费者使用习惯及审美情趣来定位不同层级的商业广场。本案通过大量的案例研究，结合市场调研、分析选择了全新的设计思路与手段。

B 环境风格 Creativity & Aesthetics
突破近些年商业设计所追求的简洁、素雅的设计风格，以折面造型和圆弧为主要表现手法、配合不同的灯光色彩打造全新活跃、热烈的商业空间氛围。

C 空间布局 Space Planning
通过大量的商业空间分析，本案的空间布局及流线设置主要满足业态需求为主，同时严格遵循当地的消防规范，提升空间安全等级。

D 设计选材 Materials & Cost Effectiveness
与一般商业广场大规模使用石材不同的是本案为满足造型需求，大量选择了GRG作为装饰材料，同时各种造型的透光膜配合各种光色的灯具让该购物中心格外绚丽，是一种全新的尝试。

E 使用效果 Fidelity to Client
营运效果良好、全新风格的购物环境为该商业广场及周边地区提升了人气。

Project Name_
Pedestrian Street in a shopping mall,ChangZhou
Chief Designer_
Zhang Mingjie
Participate Designer_
Di Shiwu, Jiang Peng, Zhang Ran, Wang Mohan, Li Yi
Location_
Changzhou Jiangsu
Project Area_
21,000sqm
Cost_
60,000,000RMB

项目名称_
常州某商业广场步行街
主案设计_
张明杰
参与设计师_
邱士武、江鹏、张然、王默涵、李毅
项目地点_
江苏 常州
项目面积_
21000平方米
投资金额_
6000万元

一层总地面铺装图

主案设计：
马先锋 Ma Xianfeng
博客：http:// 821826.china-designer.com
公司：武汉朗荷室内设计有限公司
职位：主持设计师
职称：中国建筑学会室内设计分会第四十专业委员会委员

中国建筑学会室内设计分会会员
奖项：
2011金堂奖•2011China-Designer中国室内设计年度评选年度优秀餐饮空间设计奖
2011上海国际设计节"金外滩奖"入围奖
2011第九届现代装饰"国际传媒奖"暨设计新势力年度武汉十大团队奖
2011年度Idea-Tops国际空间设计大奖三项

入围奖
2009金羊奖武汉十大设计师
2009中国十大杰出80后设计师
项目：
醉江月度假山庄
醉江月酒楼
皇冠艺术会馆
汉高中心
和宴酒店
龙锦会馆
艺极集团
时尚万家国际生活馆

汉高中心
HENGAL Center

A 项目定位 Design Proposition

不可否认，整体木作工厂化将是不久的将来全体设计师关注的问题。汉高中心是整体木制品工厂化项目中，全国最具竞争力的案例：推动了整体木制品定制行业的发展，同时也是全国木制品定制行业最完整的项目示范之一。

B 环境风格 Creativity & Aesthetics

在欧洲传统的框架下，结合国内居停空间对木制品的需求，我们对细节更苛求。

C 空间布局 Space Planning

销售路线和设计动线相结合。行内领先的情景式布局，充分体现受众群体的现场感。

D 设计选材 Materials & Cost Effectiveness

是对精致生活的一次探讨。黑胡桃全原木定制。配合石材、铜制品。

E 使用效果 Fidelity to Client

项目投入运营后，业主从一个当地作坊，在短短一年发展成为全国有15家经销商的木制品供应商。

Project Name_
HENGAL Center
Chief Designer_
Ma Xianfeng
Participate Designer_
Xie Baiyu
Location_
Wuhan Hubei
Project Area_
600sqm
Cost_
3,000,000RMB

项目名称_
汉高中心
主案设计_
马先锋
参与设计师_
谢玉白
项目地点_
湖北 武汉
项目面积_
600平方米
投资金额_
300万元

主案设计：
梁巨辉 Liang Juhui
博客：
http:// 967986.china-designer.com
公司：
广州蒙诺装饰设计有限公司
职位：
设计总监

项目：
丽斯西餐厅
东鹏陶瓷销售总部大楼
益高卫浴销售总部
华南精密办公楼
威珀卫浴销售中心
欧文莱石英石销售中心
华璞销售中心

唯一连锁精品酒店等

豪庭石材展厅
Hope team

A 项目定位 Design Proposition
本方案以几何线条展示的概念，呈现出精致的设计空间。

B 环境风格 Creativity & Aesthetics
丰富了空间的视觉效果，体现了线条的节奏。

C 空间布局 Space Planning
利用几何线条，连贯各个空间，赋予空间生命力。

D 设计选材 Materials & Cost Effectiveness
石材线条、不锈钢的使用，使整个空间变得现代感十足。几何图形线型设计勾勒出空间的轮廓，制造出视野的流动。

E 使用效果 Fidelity to Client
得到行业一致好评，使企业达到新高度。

Project Name_
Hope team
Chief Designer_
Liang Juhui
Participate Designer_
Lin Zibin
Location_
Foshan Guangdong
Project Area_
500sqm
Cost_
1,000,000RMB

项目名称_
豪庭石材展厅
主案设计_
梁巨辉
参与设计师_
林子斌
项目地点_
广东 佛山
项目面积_
500 平方米
投资金额_
100万元

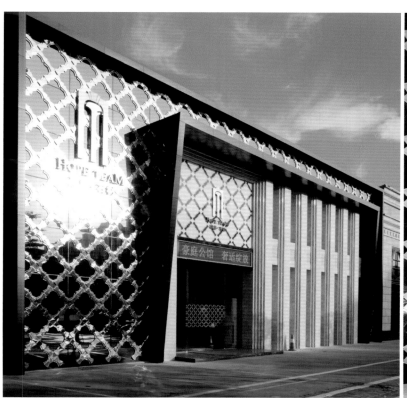

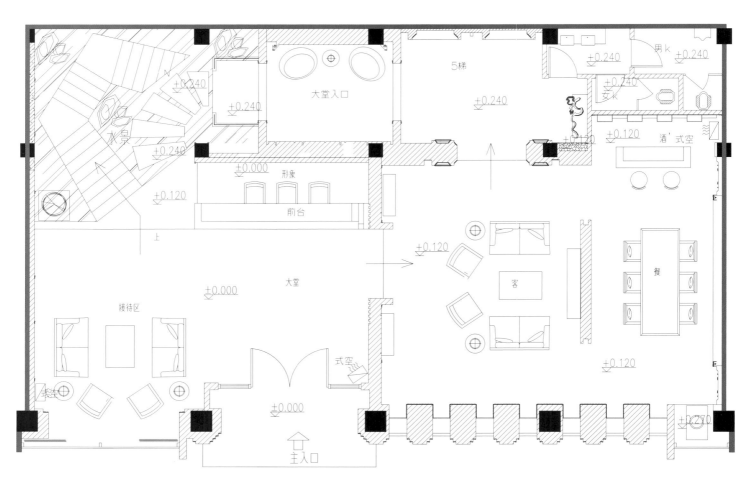

N

±0.240

水景

±0.240

±0.120

上

大堂入口

±0.240

形象

±0.000

前台

5梯

±0.240

男k

±0.240

±0.240

女k

±0.240

±0.120

酒'式空

±0.120

大堂

±0.000

接待区

客

餐

±0.120

式空

±0.000

主入口

±0.270

主案设计：
胡俊峰 Hu Junfeng
博客：
http:// 988694.china-designer.com
公司：
成都私享室内设计有限公司
职位：
创意总监

项目：
亿美行（西班牙雅素丽瓷砖）南富森概念店
极致影音（KEF）好百年旗舰店
意大利TAKENI树脂&CLAYARD手工瓷砖富森
美家居南门一店
楼兰陶瓷富森美家居南门一店
龙马木业峨眉旗舰店

奥玛与卡莱手绘艺术砖成都元素馆
CLAYARD

A 项目定位 Design Proposition

该空间属于商业型空间，旨在为消费者创造高端舒适的购买环境，店铺主导型空间设计，体验消费模式，所见即所得；所以，即使是新店员，也可以做到上午培训，下午即可胜任销售工作。

B 环境风格 Creativity & Aesthetics

在审美上，沉稳的棕色色调在暖黄色灯光的烘托下，营造出一种神秘的美感。将产品自身的艺术感与整个空间环境相融合，创造出一种"艺术展览"的心理感受。交互式探索性体验消费模式，实景橱窗同时具有实用功能，根据人趋同的消费心理促进销售，风格迥异的外观与周围商铺形成极大反差，视觉暂留。

C 空间布局 Space Planning

"堆"出来的体验，117平方米使用面积，17个实景片段，元素更是琳琅满目。每一个实景片段代表一个主题，除了自身的空间隔断功能外，还能突出每个区域的展品。

D 设计选材 Materials & Cost Effectiveness

LESS IS MORE，对于该商业空间来说，让富有艺术特质的商品本身凸现出来是重中之重。故在选材上，除了灯具外和一部分乳胶漆外，全部都是产品，所见即所售。

E 使用效果 Fidelity to Client

开业当月即售200万元。

Project Name_
CLAYARD
Chief Designer_
Hu Junfeng
Participate Designer_
Zhang Xuecui
Location_
Chengdu Sichuan
Project Area_
117sqm
Cost_
150,000RMB

项目名称_
奥玛与卡莱手绘艺术砖成都元素馆
主案设计_
胡俊峰
参与设计师_
张学翠
项目地点_
四川 成都
项目面积_
117平方米
投资金额_
15万元

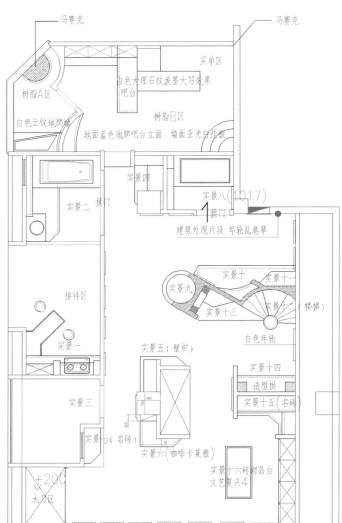

主案设计：
韩建忠 Han Jianzhong
博客：
http:// 1008533.china-designer.com
公司：
得心设计工作室
职位：
总设计师

奖项：
2005年 山西省十年回顾设计优秀奖
2006年 华耐杯IFI国际室内设计二等奖
2007年 山西省优秀设计师
2009年 尚高杯IFI国际室内设计佳作奖

项目：
2011年 湘乐楼酒店
2011年 北方大酒店四星级
2011年 世纪金花国际大酒店五星级酒店
2011年 6度服装沙龙馆   2011年 学府苑向阳花
2012年 国会音乐会所   2012年 香榭丽景别墅
2012年 万达海风

6度服装沙龙馆
6°Clothing salon Gallery

A 项目定位 Design Proposition
6度服装沙龙馆以白天销售服装、晚上聚会沙龙相结合的模式经营，市场定位为中高端。

B 环境风格 Creativity & Aesthetics
店铺选址在高端住宅小区学府苑主入口旁的商铺，店内风格走MAN味十足、野性、力量型的工业风格。

C 空间布局 Space Planning
空间格局以灵活多变、功能齐全的沙龙区，通过异型酒吧台过渡到服装展示区，另安排独立上网室、饰品展览室、办公室、个性十足的更衣室、卫生间等。

D 设计选材 Materials & Cost Effectiveness
设计选材更是别出心裁、独具匠心，墙、顶、沙发连贯的软包处理，美观且吸音，手工制作大齿轮，不锈钢管焊接"V"型衣架，手工制作"皮带"展品台、齿轮挂衣钩、手模鞋架、齿轮吧凳、齿轮挂表、"鸡蛋"上网椅、"跑车"茶几、树枝灯，卫生间扑克地面（马赛克），暗藏软包门等等，处处有新意，来店客户皆惊喜不已。

E 使用效果 Fidelity to Client
自从投入使用，客户均留下深刻印象，皆有美誉，晚上聚会音质效果良好，隔音效果明显，关上门外面不受影响，至今效益越来越好。

Project Name_
6°Clothing salon Gallery
Chief Designer_
Han Jianzhong
Participate Designer_
Shi Qianqian
Location_
Taiyuan Shanxi
Project Area_
170sqm
Cost_
200,000RMB

项目名称_
6度服装沙龙馆
主案设计_
韩建忠
参与设计师_
石谦谦
项目地点_
山西 太原
项目面积_
170平方米
投资金额_
20万元

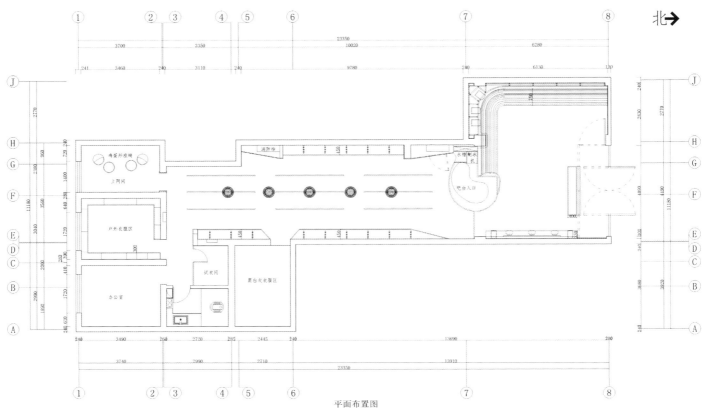

平面布置图

主案设计：
王鸿斌 Wang Hongbin
博客：
http:// 1009400.china-designer.com
公司：
佳易室内装饰设计有限公司
职位：
执行董事、总设计师

项目：
光体验会所企一照明

光体验会所——企一照明
Light experience club--KEEY Lighting

A 项目定位 Design Proposition

设计师在设计手法上已充分摆脱现有此类空间展示中的中庸与传统模式，以独特的思维视角诠释不一样的LED照明灯具展示销售空间。

B 环境风格 Creativity & Aesthetics

室内协调统一的设计风格，大气、沉稳、高档、雅致，既有传统气质，又散发南欧情调。光的设计运用是本案的精神所在。

C 空间布局 Space Planning

在空间上采用独特分区，室内设有专门的国内专卖店形象展示，采用自然灯光分隔个个功能划分，创新、独立。

D 设计选材 Materials & Cost Effectiveness

在建筑外观的设计上，采用铝单板挂片线条，面喷玫瑰金氟碳漆，形成以线成面的构成。室内环境沿用油画框线条形成独特风格特点。

E 使用效果 Fidelity to Client

投入运营后，获得业主和各界好评。

Project Name_
Light experience club--KEEY Lighting
Chief Designer_
Wang Hongbin
Participate Designer_
Zhang Ju, Luo Jingsheng
Location_
Zhongshan Guangdong
Project Area_
400sqm
Cost_
2,000,000RMB

项目名称_
光体验会所——企一照明
主案设计_
王鸿斌
参与设计师_
张菊、罗井生
项目地点_
广东 中山
项目面积_
400平方米
投资金额_
200万元

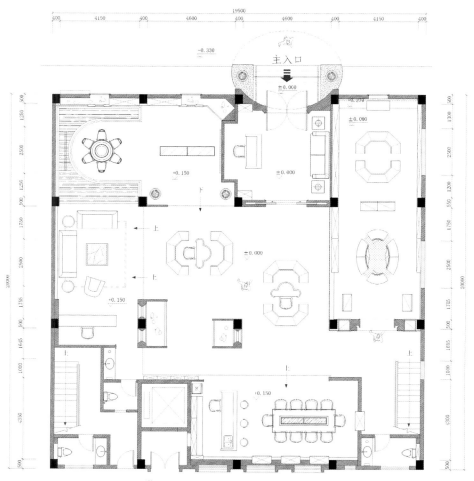

平面布置图

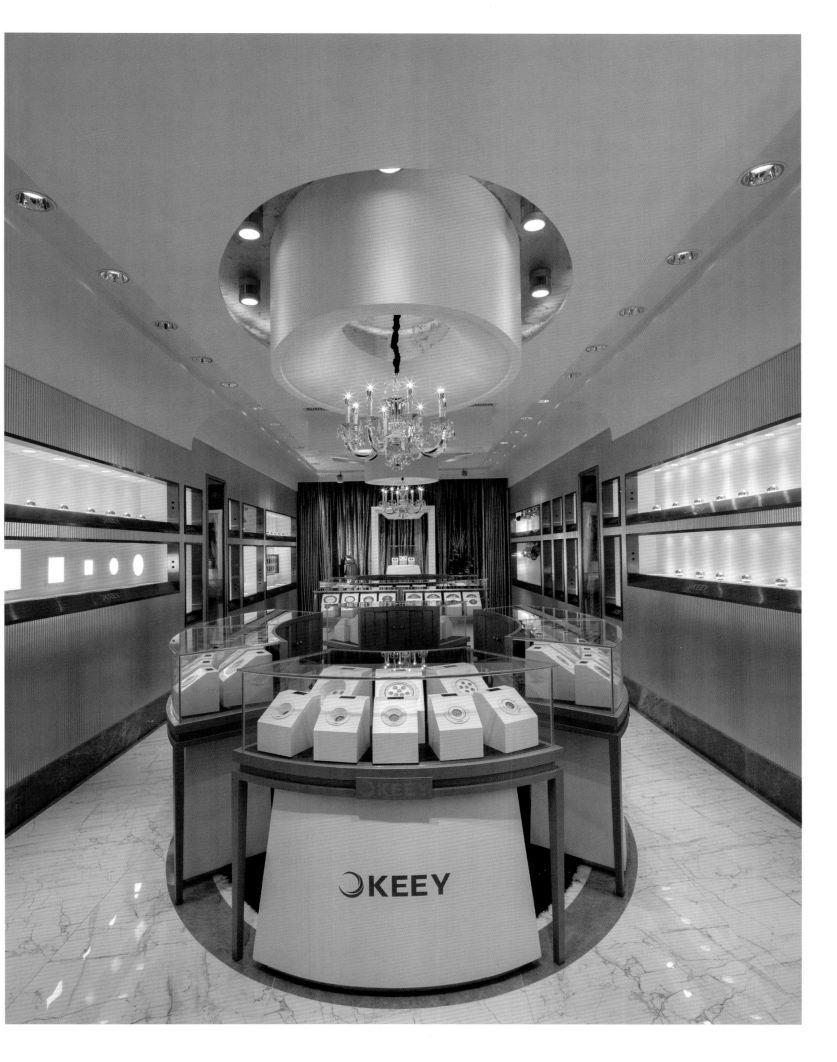

主案设计:
颜旭 Yan Xu
博客:
http:// 1011158.china-designer.com
公司:
南京DOLONG董龙设计
职位:
设计总监

奖项:
"华耐杯"南京市室内设计大赛一等奖
2012年度中国十大配饰设计师

南京1912街区2号楼
SNIPES (Nanjing 1912)

A 项目定位 Design Proposition

SNIPES (思耐普) 是全球最大的运动、休闲、街头潮流风格多品牌集成店。此案例 (南京1912街区2号楼) 是它在中国的第一家街店,其他均以高端商场专卖店形式存在。

B 环境风格 Creativity & Aesthetics

服饰售卖区以休闲风格为主,VIP展示区更强调时尚感和科技感,会所位置则完全是与外建筑相结合的新东方风格。各个环境因功用的不同而侧重点不一样,空间与空间之间运用楼梯景墙与画廊等造型完成自然的联会贯通。

C 空间布局 Space Planning

原建筑是民国时期的老式斜顶洋房,共三层,本案只占用其中的一部分面积,不工整,并且楼上楼下是错落的。就着原建筑结构,楼梯位置和斜顶部分从最难点变成设计中最精彩的部分。

D 设计选材 Materials & Cost Effectiveness

空间整体是时尚的,但材质的运用充满了东方的气息。大面积使用木丝板、美岩板与黑木纹石材做底,实心成型钢材雕刻出水滴纹样,玻璃道具的虚实感,都自然的融入了东方元素。

E 使用效果 Fidelity to Client

空间不仅仅向国人展示西方服饰潮流,同时利用南京总统府旧址的建筑特色与内部空间的完美结合,也为国外供应商展现东方文化的美。

Project Name_
SNIPES (Nanjing 1912)
Chief Designer_
Yan Xu
Participate Designer_
Gao Jing
Location_
Nanjing Jiangsu
Project Area_
700sqm
Cost_
1,500,000RMB

项目名称_
南京1912街区2号楼
主案设计_
颜旭
参与设计师_
高静
项目地点_
江苏 南京
项目面积_
700平方米
投资金额_
150万元

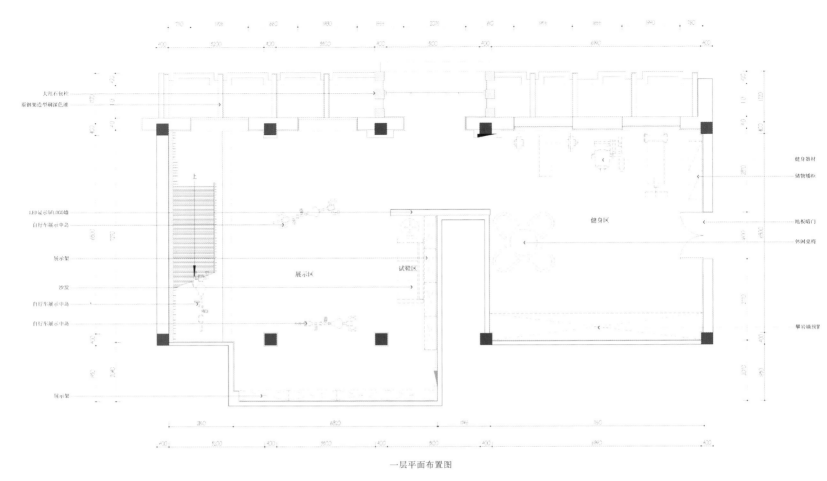

大理石包柱
原钢架造型刷深色漆

LED显示屏LOGO墙
自行车展示中岛

展示架

沙发

自行车展示中岛

自行车展示中岛

展示架

健身器材

储物墙柜

地板暗门

休闲桌椅

攀岩墙预留

上

展示区

试鞋区

健身区

一层平面布置图

主案设计：
王建伟 Wang Jianwei
博客：
http:// 1012358.china-designer.com
公司：
黑龙江国光建筑装饰设计研究院有限公司
职位：
总工程师

奖项：
　哈尔滨伏尔加庄园获得中国建筑学会室内设计分会2010年中国室内设计大奖赛酒店宾馆工程类三等奖
　吉林南湖宾馆入选2008《中国室内设计年刊》

项目：
哈尔滨友谊宫
佳木斯江天大酒店
哈尔滨日月潭
哈尔滨投资大厦

哈尔滨群力新区关东古巷
Guandong Old Lane, Harbin Qunli new area

A 项目定位 Design Proposition

在一条室内特色风情街中展现东北民俗风情，主要是黑土文化，以及地域民俗文化与商业业态有机的整合。体验地域风土人情，感受关东生活，以"关东情、关东艺、关东味"为展示内容。

B 环境风格 Creativity & Aesthetics

关东古巷以黑龙江文化圈为主体。在地域文化中汲取精华，改变设计师的观念。观念变化了，也就有了千变万化的技巧。注重对"随时"的体验，使传统的统一与中心遭到彻底的消解，形成互动的参与性，关注普通人的生活状态。使参观者在随时的体验中获得惊喜，设计感觉更加注重草根与亲民。

C 空间布局 Space Planning

从东北民居的建筑元素中提取。室内空间架构是古巷的重要表达元素，体现整体空间的情感，反映地域文化的主体。

D 设计选材 Materials & Cost Effectiveness

屋顶材料有小青瓦和草顶。墙身主要为门窗，窗下墙使用灰色青砖。窗户为支摘窗，窗棂图案以井字形为主。原始材料居多。

E 使用效果 Fidelity to Client

2012年10月运营，效果十分满意。

Project Name_
Guandong Old Lane, Harbin Qunli new area
Chief Designer_
Wang Jianwei
Participate Designer_
Li Yong'ao, Zhang Zhiying
Location_
Haerbin Heilongjiang
Project Area_
8,900sqm
Cost_
30,000,000RMB

项目名称_
哈尔滨群力新区关东古巷
主案设计_
王建伟
参与设计师_
李永翱、张志颖
项目地点_
黑龙江 哈尔滨
项目面积_
8900平方米
投资金额_
3000万元

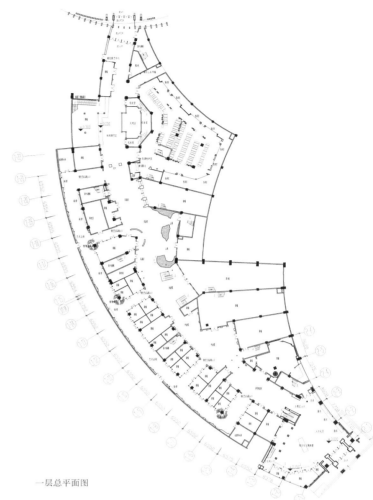

一层总平面图

主案设计:
谢剑华 Xie Jianhua
博客:
http:// 1013399.china-designer.com
公司:
广州市营尚室内设计师事务所有限公司
职位:
总设计师

奖项:
2004年国际室内设计作品大奖赛银奖
2006年国际室内设计作品大奖赛设计创意奖
2007年第三届国际室内设计大奖银奖

项目:
2004年深圳罗湖BMW 4S店、广东
自由鸟服装有限公司办公楼
2006年广州MOMO美发店
2007年广州八佰膳日本料理餐厅

广州欧派橱柜公司展厅
Guangzhou Oppein Kitchen Cabinets Company show room

A 项目定位 Design Proposition
欧派厨柜是中国知名品牌,在全国各地都开设了专卖店,从产品的开发、制作、营销、服务等都有一个非常成熟的结构。欧派厨柜定位于中端客户人群,为广大中产阶级提供高性价比的优质厨柜。

B 环境风格 Creativity & Aesthetics
欧派厨柜展示位于广州市白云区欧派厨柜公司总部内,内部空间6000m²,这种得天独厚的室内外空间可以让产品结合文化、生活元素,向参观者传递一个清晰的品牌理念。

C 空间布局 Space Planning
展厅的空间布局上,分为旗舰产品陈列前厅,各个风格及色彩不同系列的展示模块,洽谈区、样板陈列区。动线的设计让参观者有序地将整个展厅的陈列内容无一遗漏地看完。在陈列模板之间,室内空间组织上,让产品有非常宽阔的空间载体产品与产品之间不会出现互渗、拥挤的感觉,强调了产品外观的张力。

D 设计选材 Materials & Cost Effectiveness
展厅在公共空间的选材上简单大方、白色外墙漆、灰色通体砖、光膜。力求低调大气,只体现作为产品陈列空间的基本元素。陈列模块方面,选用了色彩乳胶漆墙纸、复合木板、烤漆玻璃等,以符合每个陈列模块与产品风格一致性的要求。

E 使用效果 Fidelity to Client
展厅启用后,接待全国各地的经销商,高级客户、企事业单位要员及政府官员,来访者一致对展厅的展示效果表示认可,同时亦对欧派厨柜公司由展示产品到展示品牌文化的理念表达了一致的赞许。

Project Name_
Guangzhou Oppein Kitchen Cabinets Company show room
Chief Designer_
Xie Jianhua
Location_
Guangzhou Guangdong
Project Area_
6,000sqm
Cost_
25,000,000RMB

项目名称_
广州欧派橱柜公司展厅
主案设计_
谢剑华
项目地点_
广东 广州
项目面积_
6000平方米
投资金额_
2500万元

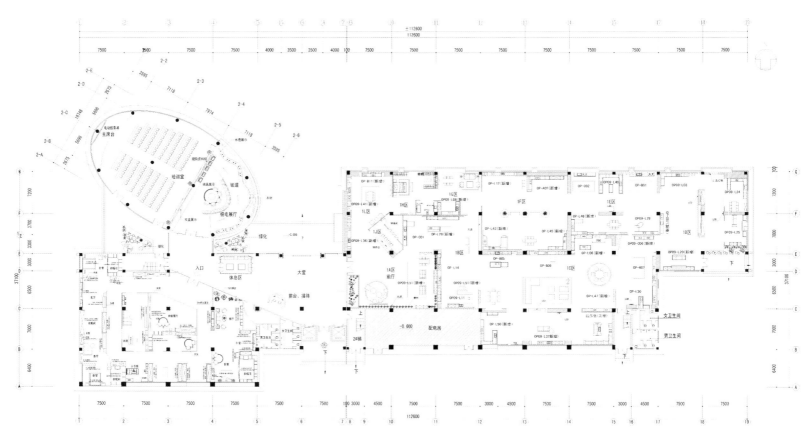

一层平面图

主案设计：
陈金海 Chen Jinhai
博客：
http:// 1014651.china-designer.com
公司：
福州造美室内设计
职位：
设计师

奖项：
　香港亚太室内设计
上海金外滩
中国室内设计

项目：
帝苑歌城
山井四季怀石日本料理
铁观音茶博物馆

福隆家具展厅
Fulong furniture exhibition hall

A 项目定位 Design Proposition
针对这个"裸露"的旧建筑架构。

B 环境风格 Creativity & Aesthetics
思索如何以更具包容性的设计观点。

C 空间布局 Space Planning
诠释出超越现代主义而兼容的独特家具展示空间。

D 设计选材 Materials & Cost Effectiveness
彰显东方之美。

E 使用效果 Fidelity to Client
非常满意。

Project Name_
Fulong furniture exhibition hall
Chief Designer_
Chen Jinhai
Participate Designer_
Zhen Weifeng
Location_
Fuzhou Fujian
Project Area_
200sqm
Cost_
500,000RMB

项目名称_
福隆家具展厅
主案设计_
陈金海
参与设计师_
郑卫峰
项目地点_
福建 福州
项目面积_
200平方米
投资金额_
50万元

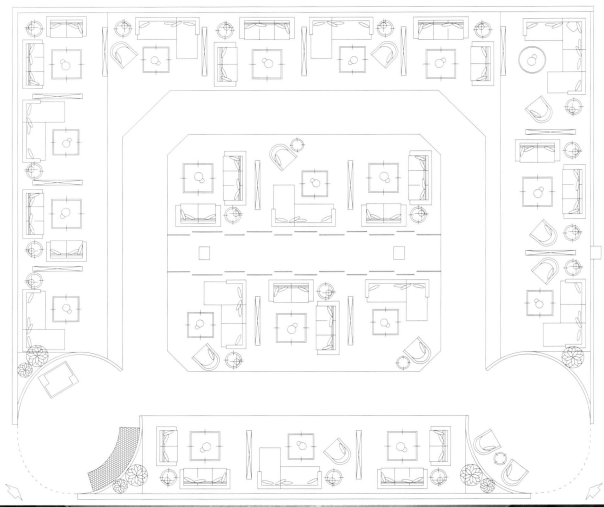

平面布置图

主案设计：
党胜元 Dang Shengyuan
博客：
http:// 1014758.china-designer.com
公司：
新疆哲匠设计
职位：
主设计师

奖项：
乌鲁木齐中国室内设计大奖赛2009年酒店类
三等奖
库车 第八届中国国际室内设计双年展三等
奖

项目：
乌鲁木齐（益都酒店）
库车（丽都酒店）
克拉玛依（宝石花酒店）

新疆大奇国际(米兰马赛克艺术馆)
Daqi International Milan Mosaic Gallery, Xinjiang

A 项目定位 Design Proposition

本案地处新疆乌鲁木齐华凌国际贸易石材新区，紧邻城区主干道，以现代商业形式作为载体来创作具有文化内涵及时尚品味的商业空间。该项目通过空间设计实践与研究，采用点、线、面的不同方式提出现代商业空间与地域文化习俗相结合的设计理念以及人文与时代相结合的现代城市建设原则作为参考，将其定位为一个多功能的、时尚的、令人赏心悦目的高端建材展示销售空间。

B 环境风格 Creativity & Aesthetics

本案外立面采用特色鲜明的时尚造型使空间产生新的划分。是西方现代MALL与中国传统的有机结合。

C 空间布局 Space Planning

大奇设计创新点以现代商业发展空间布局指引为导向，立足建材产业发展基础，按照功能协调互动、建材产品相对集聚、购物环境和谐的布局原则，以现有交通流、物质流和信息流为纽带，突出商业空间的文化创意新格局。

D 设计选材 Materials & Cost Effectiveness

外墙主材以水泥构件为主（可回收再次加工），马赛克为符，马赛克与人造砂岩的完美结合用不同建材混搭出独特的现代建筑。充分表现设计造型的强烈视觉冲力。外墙材料朴素而简约.

E 使用效果 Fidelity to Client

自投入运营以来深受业主和广大客户的一致好评。

Project Name_
Daqi International Milan Mosaic Gallery, Xinjiang
Chief Designer_
Dang shengyuan
Participate Designer_
Yang Yaodong, Li Huijiang
Location_
Wulumuqi Xinjiang
Project Area_
900sqm
Cost_
3,500,000RMB

项目名称_
新疆大奇国际(米兰马赛克艺术馆)
主案设计_
党胜元
参与设计师_
杨耀东、李慧江
项目地点_
新疆 乌鲁木齐
项目面积_
900平方米
投资金额_
350万元

主案设计:
欧镇江 Ou Zhenjiang
博客:
http:// 1014988.china-designer.com
公司:
意汇（杭州）装饰设计有限公司
职位:
董事长

项目:
重庆英利IFC

银泰文化广场会员店
Intime Department Store Culture Square VIP Branch

A 项目定位 Design Proposition

集优质品牌与低廉价格于一身，涵盖购物、餐饮、娱乐、休闲于一体的市中心OUTLETS。

B 环境风格 Creativity & Aesthetics

整个广场设计将以杭州特有的西湖文化、运河文化和古塔文化为建筑背景，结合现代文明的瑰丽意象，体现秀外慧中的吴越文化本质。

C 空间布局 Space Planning

以"艺术码头"为元素塑造了层叠交错的中空飘台，侧板处运用了简洁、一贯到底的蓝色玻璃，如同岸边码头伸向湖面。

D 设计选材 Materials & Cost Effectiveness

LED灯作为节能、环保、绿色、低碳的新型光源，结合LED灯膜幻影的效果，所有材料的选择很好地控制了工程的总体造价。

E 使用效果 Fidelity to Client

吸引了一大批20~35岁，有较强品牌消费意识的女性及家庭客群到店购物。

Project Name_
Intime Department Store Culture Square VIP Branch
Chief Designer_
Ou Zhenjiang
Participate Designer_
Deng Qibang
Location_
Hangzhou Zhejiang
Project Area_
40,000sqm
Cost_
30,000,000RMB

项目名称_
银泰文化广场会员店
主案设计_
欧镇江
参与设计师_
邓启邦
项目地点_
浙江 杭州
项目面积_
40000平方米
投资金额_
3000万元

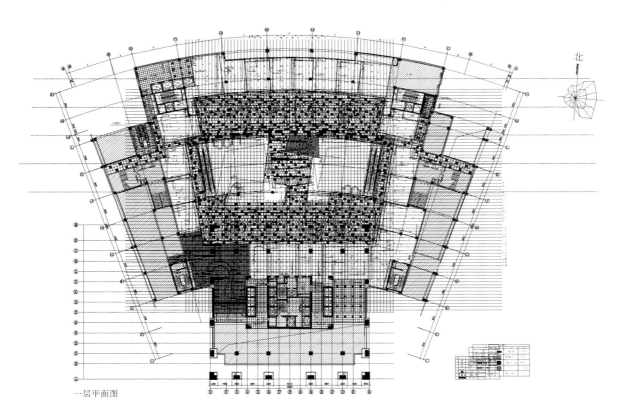

北

一层平面图

主案设计：
曾昭炎 Zeng zhaoyan
博客：
http:// 1015066.china-designer.com
公司：
上海倍艺企业形象设计顾问有限公司
职位：
设计总监

项目：
报喜鸟男装
九牧王男装
惠谊家纺
15分钟（百丽集团）
百丽办公空间

滔搏运动终端形象旗舰店
TOP SPORTS II

A 项目定位 Design Proposition
通过对国内运动零售产业链发展的观察，对其他发达国家运动零售业现状的市场调研及Top运动城未来战略的思考、讨论汇聚成万体Top Sports 4S的商业模式：中高端专业运动4S店 SALES SEVICE SPAREPART SURVEY 目标客群为中高收入、热爱运动、休闲的白领、金领。

B 环境风格 Creativity & Aesthetics
外立面设计充分考虑了体育场外型、材料等特点，利用楼梯天际轮廓线形态，以三角面为元素进行延展，整体气质与运动文化相应和。

C 空间布局 Space Planning
在动线规划上突破运动品牌以品牌划分区域的传统布局方式，通过专业分类和功能作品类，更方便地服务于消费选择，接合空间本身特点，采用压迫式动线，无死角、扩大消费者与产品接触面。按照系列划分卖场，弱化品牌；功能区在动线上以色彩区分，灯光的层次变化，及指示系统设计进行全方位的思考。

D 设计选材 Materials & Cost Effectiveness
外立面材料选用了较传统金属网材质，通过材料不同规格的叠加，安装方向的变化及与背景空间距离的控制，从而达到独特的视觉肌理感，并且有效控制项目的成本及预算。

E 使用效果 Fidelity to Client
打造出一个让消费者有不一样消费体验的商业空间，提升其商业价值，备受耐克、阿迪达斯等各大运动品牌关注，以及引发国内运动零售业未来战略的思考。

Project Name_
TOP SPORTS II
Chief Designer_
Zeng Zhaoyan
Participate Designer_
Wang Rong
Location_
Xuhui Shanghai
Project Area_
4,000sqm
Cost_
12,000,000RMB

项目名称_
TOP SPORTS II 滔搏运动终端形象旗舰店
主案设计_
曾昭炎
参与设计师_
王荣
项目地点_
上海 徐汇区
项目面积_
4000平方米
投资金额_
1200万元

主案设计：
陆震峰 Lu Zhenfeng
博客：
http:// 1015332.china-designer.com
公司：
上海全筑建筑装饰集团股份有限公司
职位：
主任设计师

奖项：
　上海市优秀室内设计师
　2009年中国.上海第八届建筑装饰设计大赛
佳兆业香溪澜苑一等奖
　2009年中国室内空间环境艺术设计大赛获：
会所空间（工程类）二等奖
　2010年中国.上海第九届建筑装饰设计大赛
佳兆业江阴水岸新都样板房获样板房类三等奖

　2011中国灯光照明设计大赛优秀奖
　2011年第十届装饰设计大赛兰湖美域会所获
三等奖
项目：
　上海置业华府天地住宅大堂
　上海置业华府天地顶层楼王样板房
　上海阳光欧洲城售楼样板房
　上海百汇园公共区域大堂及全装修

品时空家居展厅
BOUTIQUE HOME

A 项目定位 Design Proposition
其展品以意大利原装进口奢华家具以及国内顶级工艺家具为主,并结合各类样板房形式展示。

B 环境风格 Creativity & Aesthetics
展厅一楼设计主线为现代ART DECO风格，体现低调奢华，展厅二楼设计主线为后现代风格。

C 空间布局 Space Planning
时尚，即自由而前卫，生动鲜明的风格，既兼容并蓄又激情四溢，富有创见而个性张扬；灵动，即自信达观而睿智知性，活跃的空间布局与无拘无束的氛围更是为思想新潮的旅客带来前所未有的从容体验；空间，即活跃而开放，潮流生活方式在无任何屏障的空间里自由融汇，迸发激烈的互动和探索的热望。

D 设计选材 Materials & Cost Effectiveness
展厅一楼材料上选用了多种艺术效果强烈的天然大理石材料，展厅二楼选用了现代装配式木饰面的新工艺。

E 使用效果 Fidelity to Client
很好。

Project Name_
BOUTIQUE HOME
Chief Designer_
Lu Zhenfeng
Participate Designer_
Wang Zheng, Fang Zhirong
Location_
Xuhui Shanghai
Project Area_
2,000sqm
Cost_
8,000,000RMB

项目名称_
品时空家居展厅
主案设计_
陆震峰
参与设计师_
王征、方志容
项目地点_
上海 徐汇
项目面积_
2000平方米
投资金额_
800万元

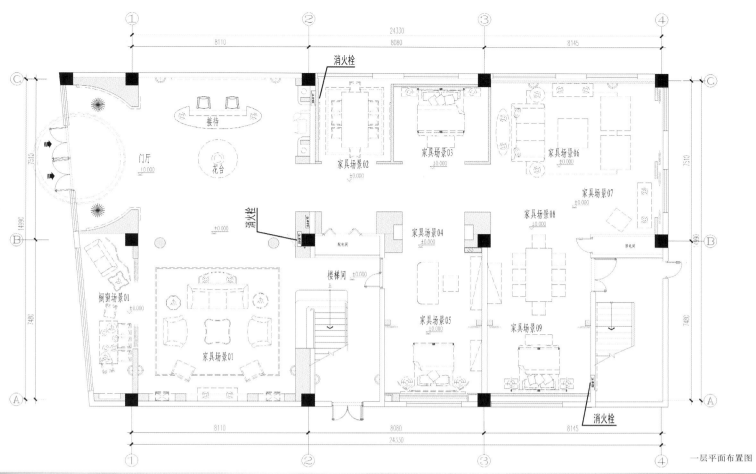

一层平面布置图

主案设计：
卜继光 Bu Jiguang
博客：
http:// 1015537.china-designer.com
公司：
博朗国际家居设计中心
职位：
设计总监

项目：
沈阳安格尔泉家居卖场
沈阳华美法罗家居旗舰店
沈阳融峰家居专卖店

沈阳融峰家居专卖店
Shenyang Bolong furnishings store

A 项目定位 Design Proposition
富丽堂皇的氛围充斥着整个空间。

B 环境风格 Creativity & Aesthetics
雅致的色彩，简约而不单调的造型，不张扬，但让浓浓的奢华气息扑面而来。

C 空间布局 Space Planning
充分利用空间，在诉说品质生活、打造优雅氛围的前提下，在有限的展厅空间内，极大的展示了各个角度的产品，紧凑却不降低奢华的品质感。

D 设计选材 Materials & Cost Effectiveness
除了客户本身的产品外，并没有用特别多复杂的装饰，而是通过简洁的线条、有层次的吊灯等，与展品共同营造达到雍容华贵的装饰效果。

E 使用效果 Fidelity to Client
温馨舒适的居住氛围被营造的淋漓尽致，带给参观的人和谐、不尽舒适的体验感受，促进对品牌营造氛围的认可。

Project Name_
Shenyang Bolong furnishings store
Chief Designer_
Bu Jiguang
Participate Designer_
Li Xin, Yuan Wei
Location_
Shenyang Liaoning
Project Area_
650sqm
Cost_
3,500,000RMB

项目名称_
沈阳融峰家居专卖店
主案设计_
卜继光
参与设计师_
李欣、袁唯
项目地点_
辽宁 沈阳
项目面积_
650平方米
投资金额_
350万元

主案设计:
赵瑞英 Zhao Ruiying
博客:
http:// 1015596.china-designer.com
公司:
深圳毕路德建筑顾问有限公司
职位:
首席设计师、执行总监

项目:
马来西亚私家豪宅水体别墅
内地私家豪宅花园别墅会所
瑞英国际室内设计事务所
中国圣象集团-地板艺术旗舰展厅

圣象集团地板艺术展厅
Shengxiang Group Floor Art Exhibition

A 项目定位 Design Proposition
颠覆中国地板展销厅的传统售货感，植入轻松与空间灵动感。

B 环境风格 Creativity & Aesthetics
颠覆。

C 空间布局 Space Planning
畅润通融。

D 设计选材 Materials & Cost Effectiveness
颠覆地板展厅传统风格，植入时尚多元化。

E 使用效果 Fidelity to Client
销售业绩与感官视觉的成功。

Project Name_
Shengxiang Group Floor Art Exhibition
Chief Designer_
Zhao Ruiying
Location_
Hefei Anhui
Project Area_
300sqm
Cost_
500,000RMB

项目名称_
圣象集团地板艺术展厅
主案设计_
赵瑞英
项目地点_
安徽 合肥
项目面积_
300平方米
投资金额_
50万元

主案设计：
陆立新 Lu Lixin
博客：
http:// 1015772.china-designer.com
公司：
四川欧亚建筑装饰工程有限公司
职位：
设计总监

职称：
中国高级室内建筑师

项目：
四川南充华兴奔驰4S店
成都市富力天汇奔驰展厅
成都市富力天汇奥迪展厅
大连福百百货商场
四川峨眉摩尔百货商场
龙潭北京现代4S店
奔驰四川华星锦业武侯店

四川华星名瑞奥迪城市展厅
Sichuan star Audi City Hall

A 项目定位 Design Proposition
"动感、非对称、全透明"设计风格，将 "进取、尊贵、科技"的品牌价值贯穿到每一处。

B 环境风格 Creativity & Aesthetics
统一的设计语言贯穿整个空间，使界面充满雕塑感。

C 空间布局 Space Planning
布局简约，弧面和柱形结构提供了天然空间区域分割，演绎着现代时尚。

D 设计选材 Materials & Cost Effectiveness
简单的材料组合表现出丰富有层次的艺术效果。

E 使用效果 Fidelity to Client
运营以来获得客户广泛好评。

Project Name_
Sichuan star Audi City Hall
Chief Designer_
Lu Lixin
Location_
Chengdu Sichuan
Project Area_
17,800sqm
Cost_
130,000,000RMB

项目名称_
四川华星名瑞奥迪城市展厅
主案设计_
陆立新
项目地点_
四川 成都
项目面积_
17800平方米
投资金额_
13000万元

主案设计：
陆立新 Lu Lixin
博客：
http:// 1015772.china-designer.com
公司：
四川欧亚建筑装饰工程有限公司
职位：
设计总监

职称：
中国高级室内建筑师

项目：
四川南充华兴奔驰4S店
成都市富力天汇奔驰展厅
成都市富力天汇奥迪展厅
大连福百百货商场
四川峨眉摩尔百货商场
龙潭北京现代4S店
奔驰四川华星锦业武侯店

奔驰四川华星锦业武侯店
Benz Sichuan Star Jingye Wuhou shop

A 项目定位 Design Proposition
作为全球首家园林式奔驰生态园，在遵循奔驰标准建筑风格的基础上，首次采用了"整体下沉式"的概念，创新性地加入了生态园林式元素。

B 环境风格 Creativity & Aesthetics
展厅地面部分用绿化与整体环境融为一体，形成了颇具特色的生态公园；展厅内则利用四个景观中庭巧妙地划分空间，同时注重功能的完整性、独立性及与其自然空间的衔接。

C 空间布局 Space Planning
在视觉空间的表达上，尽可能的塑造、展现立体空间层次，并使不同层次间的空间关系相互呼应、融合，从而使展厅空间和自然空间和谐统一。

D 设计选材 Materials & Cost Effectiveness
采用富于张力的造型，充满质感的的石材，彰显品牌的力量，大气而沉稳。

E 使用效果 Fidelity to Client
运营以来，凭借独特的生态环境、完备的硬件设施，赢得了客户的广泛好评。

Project Name_
Benz Sichuan Star Jingye Wuhou shop
Chief Designer_
Lu Lixin
Location_
Chengdu Sichuan
Project Area_
53,000sqm
Cost_
180,000,000RMB

项目名称_
奔驰四川华星锦业武侯店
主案设计_
陆立新
项目地点_
四川 成都
项目面积_
53000平方米
投资金额_
18000万元

主案设计：
葛佳亮 Ge Jialiang
博客：
http:// 1015802.china-designer.com
公司：
温州葛佳亮设计工作室
职位：
设计总监

奖项：
　2006-2007广州国际设计周"赢在设计"精
英人物
2007 ICIAD温州精锐设计师评比大赛十大精锐
设计师
2009 广州金羊奖优秀奖
2011 APDC亚太室内精英邀清赛商业类银奖，
住宅类银奖

项目：
江滨路荷意概念餐厅
宝丽SPA会所
阿哆诺斯蛋糕店
中央公馆住宅

阿哆诺斯蛋糕店
Ah duo 's cake shop

A 项目定位 Design Proposition
高档住宅区和购物区非常显眼位置的一家欧式蛋糕店，定位中高档。

B 环境风格 Creativity & Aesthetics
高而宽敞的格局就让人心情舒畅，双圆形的吊顶设计，简约又富有层次感，颇为大气。米黄色的基础色调配以咖啡色系的货架，浓郁的烤培气息飘香而来，橱窗设计采用灯光变化，错落有致的摆放，勾起人的购买欲望。

C 空间布局 Space Planning
大开间，以货柜去划分区域，客人一进去就一目了然，琳琅满目。

D 设计选材 Materials & Cost Effectiveness
这个空间里运用了油画，壁炉，毛石烘托整个店内的气氛，使客人一进去就会被整个氛围所感染，从而达到购买的欲望，在大厅蛋糕展示柜旁是天然的毛石墙面，红砖砌的壁炉的搭配，自然联想起欧洲电影的画面——欧洲乡村的老主妇在厨房忙着烘培面包招待远方的客人，烘托出整个买场的气氛。

E 使用效果 Fidelity to Client
客人非常喜欢设计的整体风格和空间氛围，生意很好！

Project Name_
Ah duo 's cake shop
Chief Designer_
Ge Jialiang
Location_
Wenzhou Zhejiang
Project Area_
100sqm
Cost_
200,000RMB

项目名称_
阿哆诺斯蛋糕店
主案设计_
葛佳亮
项目地点_
浙江 温州
项目面积_
100平方米
投资金额_
20万元

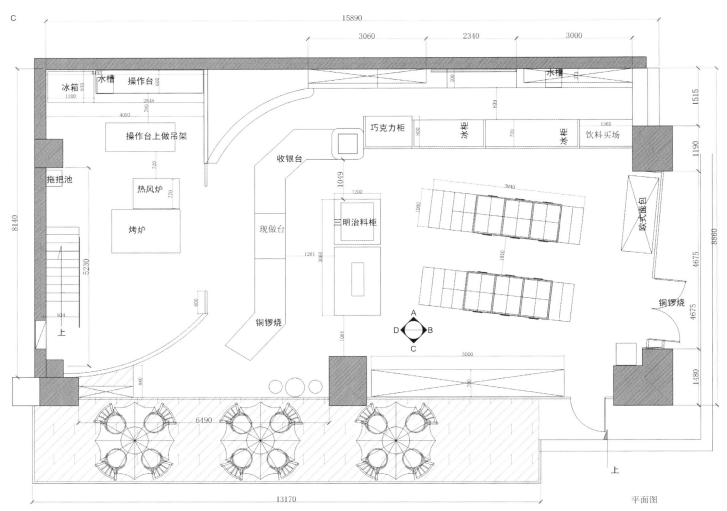

冰箱　水槽　操作台

拖把池

操作台上做吊架

热风炉

烤炉

上

巧克力柜　冰柜　冰柜　饮料买场

收银台

现做台

三明治料柜

欧式面包

铜锣烧

铜锣烧

上

平面图

主案设计:
朱伟 Zhu Wei
博客:
http:// 1015841.china-designer.com
公司:
苏州善水堂创意设计有限公司
职位:
总设计师

奖项:
2009年亚太室内设计精英邀请赛酒店设计铜奖
2010首届中国国际空间环境艺术设计大赛优秀奖
2011中国国际空间环境艺术设计大赛优秀奖

项目:
苏州江南红大酒店
苏州彩虹舫大酒店
苏州尊园别墅
苏州米兰新娘
弥勒圣境-兜率天宫博物馆
苏州丽滩别墅
九润商业广场

苏州米兰新娘世界
Suzhou Milan Bride World

A 项目定位 Design Proposition
米兰新娘世界位于苏州干将西路，面积约750平方米，其经营定位致力于打造苏州最具专业性与魅力的婚礼摄影机构。

B 环境风格 Creativity & Aesthetics
设计将建筑的美感与室内的柔美浑然一体，通过柔和的灯光处理来营造空间体量，突出视觉的变幻与张力，营造感动浪漫的空间氛围。

C 空间布局 Space Planning
室内设计运用柔美的线条来诠释空间表现，意在传达婚纱的细腻与朦胧之美，犹如玫瑰花般的舒展与绽放，让人怦然心动。

D 设计选材 Materials & Cost Effectiveness
在设计用材上，巧妙将刚与柔、粗旷与细腻相互糅合，强调设计语言的丰富性。

E 使用效果 Fidelity to Client
浪漫的空间氛围，带来了优化视觉的吸引力。

Project Name_
Suzhou Milan Bride World
Chief Designer_
Zhu Wei
Participate Designer_
Hu Jiayi
Location_
Suzhou Jiangsu
Project Area_
750sqm
Cost_
2,000,000RMB

项目名称_
苏州米兰新娘世界
主案设计_
朱伟
参与设计师_
公司团队
项目地点_
江苏 苏州
项目面积_
750平方米
投资金额_
200万元

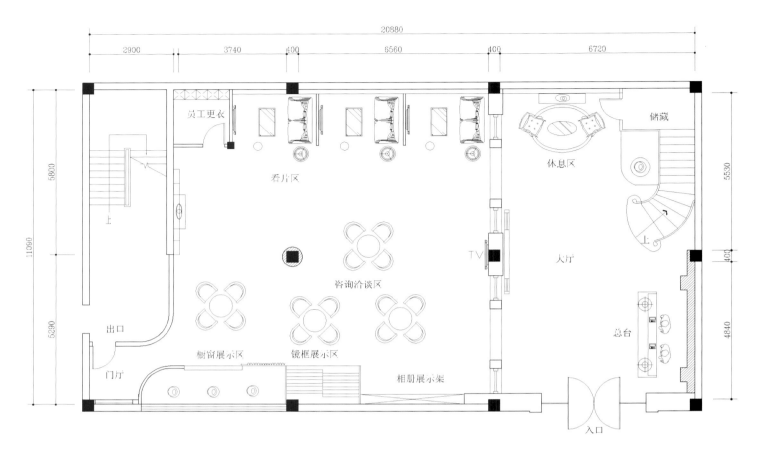

一层平面图

主案设计：
胡宏飞 Hu Hongfei
博客：
http:// 652842.china-designer.com
公司：
上海原叶建筑装饰工程有限公司
职位：
项目总监、室内设计、合伙人

项目：
吉盛伟邦国际家具村A7设计公馆
吉盛伟邦国际家具村-茶餐厅

吉盛伟邦国际家具村A7设计公馆
JSWB international furniture village A7design mansion

A 项目定位 Design Proposition
秉承了"与原创设计一起生活"的理念，为原创家具行业与市场对接搭建了平台。

B 环境风格 Creativity & Aesthetics
走进设计公馆，消费者仿佛置身于一个巨大的家具show场，各种新、奇、特的产品围绕在四周，传达着设计师们的先锋设计概念。

C 空间布局 Space Planning
当一件精心设计的家具摆放在展台上的时候，我们称之为"作品"，但是真正走进我们居家生活的，却需要它成为"产品"。这绝不是一个简单的流程，而是需要一个从量变到质变逐渐积累的过程。

D 设计选材 Materials & Cost Effectiveness
国外的设计师往往不急于建立自己的品牌，因为国际上很多大品牌往往都愿意与知名设计师合作，对优秀的作品进行量化生产与销售，而设计师都可以从自己设计的产品中获得更多的收益，这样的产业流程也进一步鼓舞了设计师们创作出更多更好，并且贴合消费者需求和市场接受度高的作品。

E 使用效果 Fidelity to Client
突出"中国原创设计"的力量。

Project Name_
JSWB international furniture village A7design mansion
Chief Designer_
Hu Hongfei
Participate Designer_
Design Republic, 8090Design Mr. Hu
Location_
Qingpu Shanghai
Project Area_
6,000sqm
Cost_
7,800,000RMB

项目名称_
吉盛伟邦国际家具村A7设计公馆
主案设计_
胡宏飞
参与设计师_
设计共和、8090Design 胡工
项目地点_
上海市 青浦区
项目面积_
6000平方米
投资金额_
780万元

图书在版编目（ＣＩＰ）数据

顶级购物空间 / 金堂奖组委会编 . -- 北京 ：中国林业出版社，
2013.3（金设计系列）
ISBN 978-7-5038-6844-3

Ⅰ．①顶… Ⅱ．①金… Ⅲ．①商业建筑－室内装饰设计－作品集－世界－现代
Ⅳ．① TU247

中国版本图书馆 CIP 数据核字（2012）第 274449 号

- -

本书编委会

组编：《金堂奖》组委会

编写： 王　亮◎文　侠◎王秋红◎苏秋艳◎孙小勇◎王月中◎刘吴刚◎吴云刚◎周艳晶◎黄　希
朱想玲◎谢自新◎谭冬容◎邱　婷◎欧纯云◎郑兰萍◎林仪平◎杜明珠◎陈美金◎韩　君
李伟华◎欧建国◎潘　毅◎黄柳艳◎张雪华◎杨　梅◎吴慧婷◎张　钢◎许福生◎张　阳

整体设计： ΛЬЄ 北京湛和文化发展有限公司
http://www.anedesign.com

中国林业出版社·建筑与家居出版中心

责任编辑： 纪　亮、成海沛、李丝丝、李　顺
出版咨询： （010）83225283

- -

出版： 中国林业出版社
（100009 北京西城区德内大街刘海胡同 7 号）
网站： http://lycb.forestry.gov.cn
印刷： 恒美印务（广州）有限公司
发行： 新华书店北京发行所
电话： （010）8322 3051
版次： 2013 年 3 月第 1 版
印次： 2013 年 3 月第 1 次
开本： 889mm×1194mm, 1/16
印张： 9.5
字数： 120 千字
定价： 158.00 元

- -

图书下载：凡购买本书，与我们联系均可免费获取本书的电子图书。
E-MAIL: chenghaipei@126.com　　QQ: 179867195